VOL.1

SISTEMAS RESPIRATÓRIO E DIGESTIVO

Direção de arte: Luiz Antonio Gasparetto
Projeto gráfico e capa: Kátia Cabello
Diagramação: Priscilla Andrade
Ilustrações: Kátia Cabello, Márcio Lipari e Priscila Noberto
Revisão: Fernanda Rizzo Sanchez

1ª edição — 14ª impressão
5.000 exemplares — março 2023
Tiragem total: 89.000 exemplares

Dados Internacionais de Catalogação na Publicação (CIP)
(Câmara Brasileira do Livro, SP, Brasil)

Valcapelli
Metafísica da saúde : sistema respiratório e digestivo / Valcapelli & Gasparetto . — São Paulo : Centro de Estudos Vida & Consciência Editora, 2009. — (Coleção metafísica da saúde ; v. 1)

ISBN 978-85-85872-63-2

1. Controle da mente 2. Corpo e mente 3. Manifestações psicológicas de doenças 4. Metafísica 5. Ocultismo 6. Parapsicologia 7. Realização pessoal 8. Sistema digestivo - Doenças - Aspectos psicossomáticos 9. Sistema respiratório - Doenças - Aspectos psicossomáticos
I. Gasparetto, Luiz Antônio. II. Título. III. Série.

08-03640 CDD-616.08
NLM-WM 9

Índices para catálogo sistemático:
1. Metafísica da saúde : Medicina psicossomática 616.08

Este livro adota as regras do novo acordo ortográfico (2009).

Vida & Consciência Editora e Distribuidora Ltda.
Rua das Oiticicas, 75 – Parque Jabaquara – São Paulo – SP – Brasil
CEP 04346-090
editora@vidaeconsciencia.com.br
www.vidaeconsciencia.com.br

VALCAPELLI & GASPARETTO

VOL.1

SISTEMAS RESPIRATÓRIO E DIGESTIVO

SUMÁRIO

Apresentação – Por que ficamos doentes? 11

Capítulo I – Você é a causa de tudo 13
Mente sem limite 17
Você não tem começo nem fim 20
Mente, aparelho realizador 23
Conteúdos da mente 24
Registros subconscientes 27
Integridade do ser 34
Metafísica e hereditariedade 38
Consciência e responsabilidade 40
Doença 42

Capítulo II – Sistema Respiratório 47
Fossas nasais 50
Gripe ou resfriado 52
Rinite 54
Sinusite 58
Laringe 60
Engasgo 61
Voz 62
Disfunções da fala 65
Gagueira 66
Calos nas cordas vocais 68
Laringite 69
Brônquios 72
Bronquite 73
Asma brônquica 76
Pulmões 80

Pneumonia 82
Enfisema pulmonar 84
Edema pulmonar 87
Tuberculose 88
Fenômenos respiratórios 90
Tosse 90
Espirro 91
Bocejo 93
Ronco 95
Soluço 96
Considerações finais 97

Capítulo III – Sistema Digestivo 101
Náusea e vômito 104
Dentes 106
Cárie dentária 107
Canal 108
Maxilar 109
Gengiva 109
Língua 110
Afta 113
Mau hálito 113
Estomatite 115
Glândulas salivares 115
Caxumba 116
Síndrome de Sjögren (SS) 117
Faringe 119
Faringite 120
Esôfago 122
Esofagite 123
Hérnia de hiato 124
Digestão 125

Estômago 127
Suco gástrico 129
  Gastrite 130
  Úlcera 131
Fígado 132
  Hepatite 136
  Cirrose 137
Vesícula biliar 140
Pâncreas 142
  Depressão no pâncreas 145
  Pancreatite 146
Diabetes 148
  Hipoglicemia 155
Intestino delgado 156
  Diarreia 159
Intestino grosso 160
  Intestino preso 161
  Prisão de ventre 162
Apêndice 164
  Apendicite 165
  Diverticulite 167
  Colite 169
  Vermes 171
Hemorroida 173
Considerações finais 175

Referências bibliográficas 177

POR QUE FICAMOS DOENTES?

A cada dia que passa nós vamos descobrindo mais sobre o funcionamento da natureza.

Desta vez é nosso corpo e a tentativa de responder a perguntas intrigantes, como:

Por que ficamos doentes?

Ou mesmo:

Por que um câncer se instala em nossa perna e não em nosso braço?

Ou ainda:

Por que uma forma de doença e não outra?

Por que agora em minha vida, quando tudo parecia bem?

Ao longo da trajetória das ciências médicas, muito pouco se tem conseguido.

A Psicossomática ainda parece engatinhar. Mesmo a medicina paralela, não convencional e alternativa, parece ter muitos problemas para entender ou explicar estas questões.

Eu me interessei por elas muitos anos atrás, quando estudava as leis da formação de nosso destino, e confesso que com a ajuda das pessoas desencarnadas tive o privilégio de ser introduzido num caminho que parece estar respondendo a tais perguntas, que, afinal de contas, são fundamentais para todos nós.

Logo depois eu criei um curso chamado Metafísica da Saúde, no qual comecei a divulgar os meus achados. Foi aí que Valcapelli apareceu, com sua inteligência metafísica. A princípio, espantei-me ao perceber que outra pessoa conseguia pensar do modo como eu aprendera a pensar, o que parece muito difícil para a maioria das pessoas. "Ele realmente tem uma mente metafísica", disse encantado a mim mesmo quando ele me mostrou os seus primeiros trabalhos sobre órgãos internos. Eu sabia que muito teríamos que pesquisar, mas aí começou nossa amizade.

Depois de alguns anos, estamos mostrando nesta coleção nossos resultados, esperando que possam ao menos ser úteis no pensamento das pessoas que já estão preparadas para refletir e compreender além do convencional.

Tenha uma proveitosa leitura.

Luiz Antonio Gasparetto

VOCÊ É A CAUSA DE TUDO

A grande maioria das pessoas atribui à sorte, ao azar, ao acaso ou a um poder superior a causa e o comando de tudo que lhes acontece na vida. Com isso, jamais procuram verificar a verdade sobre os fatos. Elas preferem optar por uma atitude conformista ou comodista, alimentando uma postura interna de vítimas que as faz sentirem-se coitadas.

Ficam hipnotizadas pela ideia de impotência diante de certos acontecimentos que consideram difíceis e sobre os quais não querem ter nenhum controle ou responsabilidade.

É comum, nas situações dolorosas que afetam a elas mesmas ou os outros, as pessoas se acovardarem, em vez de resistirem com coragem e determinação. Quando não compreendem a causa de certos acontecimentos catastróficos, alguns justificam seu comodismo com frases como: "Deus ou o destino quis assim" ou "Não aconteceu porque não era para ser". Outros preferem se revoltar a procurar desvendar a verdadeira realidade dos fatos. Reagir com comodismo ou revolta é preservar uma atitude de vítima.

O "vitimismo" é sem dúvida o maior empecilho ao progresso da humanidade.

Você também pensa dessa maneira? Acredita que sorte, azar, acidentes, catástrofes, dramas, alegrias, enfim, as coisas que acontecem em sua vida são independentes de sua vontade?

Considera que o acaso provoca as situações ruins? Imagina que existe algo movimentando sua vida e que você mesmo não tem participação alguma? Pensa que seus problemas são causados pela inveja dos outros ou pelo destino e não por sua condição interna?

Se você acredita nisso, provavelmente vive nas teias amargas do "coitado", pois deixa-se levar ao sabor dos acontecimentos, já que está sob o domínio de uma força que considera ser independente de sua vontade. Pensar dessa maneira causa-lhe complicações e sofrimentos que reprimem a expressão de vida. Aquele que se julga vítima acredita que está no mundo para sofrer.

Alimentar pensamentos dessa ordem não lhe permitirá usar seu poder de transformar os acontecimentos desagradáveis e edificar uma vida melhor.

De modo geral, o ser humano crê na fatalidade, no acaso e na negligência. Quando "acidentes" acontecem, as pessoas imediatamente definem as ocorrências, sem dar a chance de perceber se há uma outra forma de encarar os fatos.

Explicar algo classificado como fatalidade não é uma tarefa fácil. Compreender o que está por trás de um acontecimento ruim exige certa predisposição a acatar o novo e abandonar os conceitos impregnados na humanidade.

Um acidente parece sempre algo inexplicável, e o acaso um mistério agindo aleatoriamente. Pensar desse modo é o mesmo que considerar que o nada pode fazer tudo, como realizar feitos extraordinários, provocar acidentes, promover sua demissão do emprego, fundir o motor de seu carro, causar uma infestação de cupins em sua casa e uma série de outros males que o rodeiam. Olhar a vida por essa óptica é acreditar que somos vítimas dos mecanismos naturais.

A ideia de sermos vítimas das fatalidades não é a melhor concepção de vida. É inaceitável crer que um ser superior governe tudo como um déspota ou mesmo que é o acaso que provoca todos os contratempos na vida das pessoas. Assim também não se pode acreditar que a natureza é caótica a ponto de cometer alguns lapsos em seus intrincados mecanismos de funcionamento.

A natureza é sábia, portanto para toda ação há sempre uma causa, mesmo quando nossa inteligência não consegue alcançar o conhecimento dos processos da vida. Quem segue sua intuição e busca uma outra visão dos acontecimentos, rompendo com a concepção do acaso e da injustiça, acaba encontrando as respostas para as ocorrências desagradáveis.

Experimente desafiar a ideia de fatalidade e busque a consciência das verdadeiras causas. Não acredite cegamente no que lhe foi passado. Procure obter uma vivência prática, observe as sensações de seu corpo, dê vazão à intuição. Esse procedimento possibilita desvendar a realidade dos acontecimentos.

O "vitimismo" é uma forma infantil de lidar com os fatos.

De que modo então poderemos compreender os acidentes, as catástrofes e as situações problemáticas ou maravilhosas, se não cremos mais no acaso, se não responsabilizamos os outros, tampouco os atribuímos à vontade divina ou aos imperativos da vida?

Qual a explicação plausível para o que acontece de bom ou prejudicial em nossa vida?

A resposta é: Você é a causa de tudo! *É o centro de sua vida e senhor de seu próprio destino.*

Este livro tem o propósito de comprovar por meio dos fundamentos metafísicos que essa afirmação é verdadeira.

Caso suas condições de vida não estejam a contento e ela esteja repleta de impedimentos, relacionamentos difíceis, escassez de recursos econômicos, doenças, etc., é sinal de que você não está fazendo uso adequado de seus poderes naturais, os quais comandam seu destino.

Acatar a consciência metafísica é abandonar o pretexto de atribuir ao externo suas frustrações internas; é reconhecer em si mesmo o referencial manifestador que cria a realidade, atraindo para si tudo de bom ou ruim que lhe acontece na vida.

A vantagem dessa mudança é que você resgata o poder natural e passa a ter capacidade para transformar as situações desagradáveis que estão à sua volta, alterando o curso de sua vida para melhor.

Se de um lado você perde o álibi que justifica suas inabilidades, por outro adquire o poder interior de intervir nas situações externas. Essa postura vai tirá-lo da passividade e da dependência dos outros ou da concessão das forças naturais, proporcionando as condições internas necessárias para edificar uma vida nova.

Inicialmente você pode estranhar essa nova concepção de vida. Para muitas pessoas é difícil pensar assim, aceitar como verdade o fato de que são elas que põem em movimento tudo que lhes acontece e não mais responsabilizar alguém — nem mesmo Deus — pelo que se passa com elas.

Você está disposto a encarar a vida por uma nova óptica? Isso exige parar de se colocar como vítima e se dar uma chance de estudar os acontecimentos por um outro ângulo. Esta é uma tarefa que requer tempo, observação e dedicação, porém os resultados serão promissores.

Empenhar-se na reformulação interior é um importante passo para o sucesso e a realização pessoal. Essa conduta opera significativas mudanças em sua forma de pensar e agir.

Renovado interiormente, você se tornará mais perspicaz para compreender o motivo de sua vida, seguir um caminho e não outro, e o significado de tantas adversidades. A vida não é estúpida nem inconsequente, tampouco somos vítimas, mas sim os condutores de nosso próprio destino.

Mediante isso você não deve se sentir culpado. Se sua postura ao longo da vida foi de omissão, assuma a responsabilidade. Ser responsável é ter habilidade natural de criar respostas, passando a conduzir sua vida de forma consciente. Lúcido de seu direito de escolha, você vai agir com mais segurança, podendo evitar aborrecimentos e alcançar mais rápido a felicidade.

Não confunda responsabilidade com obrigação.

Obrigação é forçar você a fazer algo contra sua natureza, e responsabilidade é a consciência de seu poder de causar reações no mundo.

Ser responsável é reconhecer e respeitar os próprios sentimentos, usar de bom senso e assumir o direito de escolha, podendo dar ou tirar a importância do que acontece ao redor. Você pode optar entre o positivo e o negativo de uma situação. Encarar os fatos com otimismo é considerar as perspectivas favoráveis, e com pessimismo é aceitar a derrota por antecedência. A qualquer momento pode-se acreditar ou desacreditar, só depende de você.

A consciência metafísica não irá privá-lo das experiências de vida, ela atenua a intensidade dos obstáculos porque o fortalece para enfrentá-los e favorece na transposição dos desafios, resgata o poder interior e promove o reconhecimento dos potenciais latentes na alma.

MENTE SEM LIMITE

"A mente tem diferentes níveis, mas não tem limites."

Compreender a dinâmica das experiências mentais auxilia-nos a lidar melhor com esse complexo mecanismo do pensar.

Formular pensamentos, ter consciência de nossa lucidez e manipular a capacidade de escolher e de dar importância são os maiores atributos da raça humana.

Podemos comparar a mente a um grandioso e sofisticado computador que temos ao nosso inteiro dispor. Como qualquer aparelho de altíssima tecnologia, precisamos conhecer seu manual de funcionamento. O mesmo se aplica ao universo psíquico. É importante conhecer os mecanismos que compõem a mente, para podermos manipular a capacidade criativa em nosso benefício.

Somos um sofisticado sistema de captação e produção de energias vivificadoras, e a mente canaliza e direciona essas energias vitais, criando a atmosfera energética que influencia a realidade, e estas se moldam de acordo com as nossas crenças.

As crenças podem se originar dos valores morais ou religiosos que nos são passados pela educação ou formulados através de nossas próprias experiências. Elas representam as certezas interiores ou aquilo que tomamos como verdadeiro para nós. Na maioria das vezes são adotadas sem nenhum critério seletivo, não questionamos se esses valores ainda servem para a realidade atual, por isso eles são falsos valores. Porém aqueles que são formulados como resultado de nossas vivências são mais realistas, por isso nós os consideramos valores verdadeiros.

As crenças estabelecidas ao longo de sua existência determinam a maneira como você encara os fatos da vida e servem de base para a escolha de como você deve reagir e se comportar. Para cada pensamento teremos uma reação em nosso sistema ou uma sensação. Assim eles também determinam a qualidade de bem ou mal-estar de seu dia a dia.

De uma certa forma, como veremos mais adiante, nossas crenças moldam a realidade, reproduzindo no ambiente externo aquilo que concebemos interiormente.

Cada um vive de acordo com suas próprias crenças.

Se você acredita no bem, terá bons pensamentos, consequentemente sua vida seguirá por um curso harmonioso. Já aqueles que acreditam no mal são maliciosos, veem maldade em tudo, acabando por atrair episódios ruins. Ser otimista é pensar nas perspectivas favoráveis de uma situação, enquanto ser pessimista é nutrir pensamentos negativos e dar muita importância aos obstáculos.

A mente é comandada por você, por seu livre-arbítrio. De modo geral, aquilo que se pensa sobre si mesmo e sobre a vida determina a realidade à sua volta. Nutrir ideias de inferioridade o faz sentir-se imperfeito. Essa postura criará um cenário desolador, onde você será o protagonista.

Para que a condição interna se torne realidade, é necessário crer de forma total, visceral, apaixonadamente ou a corporificar tais ideias. Não adianta só desejar, é necessário sentir para que se torne real, caso contrário, mesmo querendo ter bons resultados, se os pensamentos não forem fortes o suficiente para impressionar e para se imprimir em nosso sistema, os resultados não serão alcançados.

Todos aspiram a alcançar seus objetivos na vida, mas isso não é suficiente por si só. Para obter sucesso é preciso sentir-se no direito de usufruir os privilégios de ser bem-sucedido. Não basta almejar um bom emprego ou fazer bons negócios, é preciso sentir-se em condições de ser contratado e merecedor da oportunidade profissional. É preciso ter isso implantado em seu sistema, de forma que pareça ser completamente natural.

A força do pensamento atua tanto nas funções biológicas do corpo como no ambiente ao redor. Alguns exemplos corriqueiros tornam isso mais explícito, como pensar em comida e sentir fome, ou imaginar que algo é ameaçador e sentir medo — esse estado produz no corpo a adrenalina que estimula as funções biológicas deixando-o em alerta. Em relação à atuação da mente no exterior, observam-se os seguintes exemplos: ter medo de determinados insetos e frequentemente deparar com os mesmos; pensar que algo pode dar errado e não conseguir realizar aquela atividade.

Antigamente acreditava-se que a mente era restrita ao nosso mundo interior. Considerava-se que ela se limitava ao cérebro. Desse modo, sua atuação era puramente interna, não exercendo nenhuma influência no exterior.

Essa visão é baseada no conceito de que o poder do homem obedece a uma sequência predeterminada: pensar, mover o corpo e com isso promover reações no mundo.

Afirmavam os antigos estudiosos do comportamento humano que somos um ser constituído por partes isoladas que se interligam pelas funções, como o mecanismo de um carro ou de outra máquina qualquer. Assim, eles falavam de mente, emoção, sentimento, corpo, alma, como partes de uma máquina biológica.

Atualmente essas noções estão ultrapassadas. Os cientistas afirmam que não existe nada individualizado no homem, que tudo é um conjunto integrado. Assim, somos sentimentos, emoções, espírito, neurônios e o corpo inteiro. Na visão metafísica, isso se estende também ao ambiente, às pessoas ao redor e ao universo. Portanto, o que é considerado mente na verdade são atributos naturais e não possuem fim ou começo. As concepções mentais são capazes de abranger todo o universo, podendo exercer algum tipo de influência nele.

VOCÊ NÃO TEM COMEÇO NEM FIM

A mente pode ser vista sob dois aspectos: o consciente e o inconsciente.

O *consciente* é onde ocorre a percepção. Ele representa apenas uma pequena parte da mente, que compreende tudo aquilo de que estamos cientes no momento. A atividade do pensamento é a manifestação do consciente. Imagine uma lanterna acesa na escuridão; somente onde o foco de luz clareia é consciente.

O consciente está ligado a todo o organismo, podendo a qualquer momento focar uma de suas partes ou identificar as sensações provenientes do corpo. A mente consciente também se estende até onde os sentidos podem alcançar. A identificação dos estímulos externos representa uma extensão do consciente que não se limita apenas a captar os sons, as imagens, etc., mas também a perceber através do sexto sentido as emanações energéticas das pessoas ou dos ambientes, chegando a captar o ambiente astral em casos especiais.

A consciência é um fenômeno abrangente que transcende o sistema nervoso, sendo ela fruto da interação entre o interno e o externo.

Existe uma frase de Yogananda que esclarece esse conceito: a mente é como um elástico que pode se estender ao infinito, sem se romper.

Essa ideia contrasta com o ponto de vista tradicional da ciência, que descreve a percepção como um "arco reflexo", em que o mundo é um conjunto de estímulos que tocam os aparelhos sensores, e estes são conduzidos até o córtex cerebral, onde são interpretados pelos neurônios e percebidos pela mente.

Esse nível de percepção também pode ser chamado de mente superficial ou eu consciente, que engloba tudo que se percebe no presente e identifica o que está ao redor. Nele estão todos os fenômenos dos sentidos (audição, visão, paladar, olfato e tato) que promovem as sensações, permitindo reconhecer o aqui-agora.

Essa mente é a que pensa, escolhe, decide, acredita ou desacredita e focaliza a atenção; ela é que dá a sensação de individualidade, promovendo a lucidez ou eu consciente.

O principal atributo do eu consciente é o discernimento, o poder de escolher, de dar importância ou mudar o ponto de vista a qualquer momento, bem como mobilizar a vontade para intensificar os objetivos de vida.

Ele é também responsável por formar o senso de realidade, de creditar como real ou irreal qualquer fato.

As faculdades mentais são atributos da vida. Por meio delas você pode reconhecer a si mesmo e interagir com o ambiente à sua volta.

Em suma, não pense que a mente é restrita ao corpo somente porque você a identifica dessa maneira. A mente consciente vai além do simples fato de interpretar e decodificar os estímulos externos. Ela interage no mundo, tornando-se parte integrante dele.

O *inconsciente* não pode ser interpretado com facilidade nem ser evocado voluntariamente, porém seus conteúdos podem se manifestar no mundo consciente.

Grande parte dos conteúdos da mente origina-se do inconsciente. Ele é a fonte das energias psíquicas e contém os fatores básicos da personalidade do indivíduo.

Os estudos a respeito da mente se aprofundaram e hoje sabe-se que o material armazenado no inconsciente não são apenas as experiências pessoais da vida atual guardadas na memória, mas também os fatos de vidas passadas relacionados a você e à vida em geral, chegando a ter contato com os arquivos do passado do universo.

As pesquisas da psicologia, principalmente as realizadas por Carl Jung sobre o inconsciente coletivo, comprovam que o inconsciente é ilimitado, abrangendo não só o que existe mas também tudo que existiu e existirá. Jung exemplifica o inconsciente comparando-o ao ar, que é o mesmo em todo lugar, todos o respiram, mas ele não pertence a ninguém. Diz ainda: o inconsciente não é um recipiente que coleta o lixo da consciência, ele é a outra metade da psique.

Assim podemos concluir que nós não temos um inconsciente para cada um, mas estamos todos "dentro" do inconsciente coletivo.

A mente consciente tem a capacidade de criar as noções de tempo e de espaço, podendo em certas circunstâncias ignorá-las. Ela está tanto dentro como fora de nós, e o que temos como limite não passa de uma convenção fruto da óptica que temos da vida. Sendo assim, estamos integrados a tudo que existe e nos tornamos parte daquilo que experimentamos.

Todo tipo de matéria é formado por átomos: o ar é composto de moléculas que são constituídas de átomos, o organismo humano é um conjunto de células que também são formadas pelos átomos, e tudo isso se encontra de forma a ser uma só massa de átomos. Desse modo, o que percebemos como corpo físico é a impressão de sólido que a mente interpreta como fenômeno somático. Assim como o mundo atômico, a mente é contínua, estando tanto dentro quanto fora de nós.

A mente consciente é que distingue o que é interno ou externo, bem como a diferença entre sólido, líquido e gasoso. A percepção desses diversos tipos de matéria e o lugar que ocupamos no espaço é de acordo com nosso senso de realidade, porque, para a física, somos uma variação atômica dentro do universo indivisível.

Evolução é o nome dado ao contínuo processo da mente de devassar os níveis inconscientes, ampliando a consciência e a lucidez. É como se no início fôssemos só inconsciente e por algum motivo a consciência nascesse e iniciasse sua viagem de expansão. Nasce também o tempo e o universo da realidade ou o universo sensorial. Talvez cheguemos a desvendar o inconsciente totalmente e talvez aí a evolução termine...

MENTE, APARELHO REALIZADOR

A mente é um aparelho nas mãos do eu consciente. Seus atributos são manipulados por ele e refletem na realidade interna (corpo físico) e externa (meio ambiente). Nele reside a habilidade realizadora (criar a realidade ou o que será sensorial) do homem. É dotado do poder de escolher o que é significativo no mar de estímulos cotidianos, também tem o poder de dar crédito em diferentes graus e de graduar a importância, o que gera diferentes níveis de impressão. Este material vai para a mente inconsciente, que possui o aparelho realizador e o sistema de integridade, criando o cenário em que vamos ter nossas experiências.

O universo mental não se restringe a imaginar. Sua finalidade é tornar sensoriais e palpáveis os programas que a consciência estabelece como verdade e nos quais acredita. As experiências vividas são produtos da manipulação feita por você de seu aparelho mental. Vivemos de acordo com o que acreditamos e estabelecemos como verdadeiro para nós. Sendo assim, se não temos uma vida agradável, basta reformular nossas crenças para alterar o curso da existência.

Entre a lucidez do eu consciente e o mundo material existe a mente. Os estímulos recebidos passam pelos órgãos dos sentidos para depois serem interpretados pela mente; ela transforma estímulos em percepção. Ela é quem registra e assimila a existência de algo sólido ao redor.

Pode-se dizer que a realidade externa é um produto da mente. A solidez da matéria está na concepção mental, pois as partículas atômicas que formam todos os tipos de matéria contêm um vácuo entre os elétrons e prótons que gravitam em torno do núcleo dos átomos. A quantidade de massa sólida contida neles é mínima; a maior parte do composto atômico é vazia.

Assim, portanto, a matéria é uma sensação que a mente interpreta como sólido. Pode-se dizer que a realidade é uma manifestação mental. Desse modo, a mente é o aparelho realizador que temos sob nosso comando. Não há contato direto entre o eu consciente e o mundo material, a mente se interpõe entre esses dois níveis, moldando a realidade e possibilitando a atuação do ser na vida.

Essa concepção da mente não é recente. Ela compunha os profundos conhecimentos de alguns círculos esotéricos que se mantiveram restritos a uma casta de pessoas selecionadas. Também faz parte do antigo hinduísmo e do budismo. O próprio Buda, ao perceber que a mente era a causa do sofrimento, da dor e dos problemas humanos, deu sua contribuição, criando exercícios para educá-la.

CONTEÚDOS DA MENTE

Sistema codificador. É a capacidade de transformar as percepções em códigos que possibilitam o entendimento. Atua na abstração dos fenômenos observados, criando conceitos. Reconhece os elementos registrados pelo som, visão e outros, simplificando-os em símbolos que exprimem a vivência pessoal. Organiza os conceitos básicos apreendidos, através da gramática e outros, constituindo a linguagem do pensamento, permitindo ao indivíduo formular ideias e tomar decisões.

O pensamento processa os conteúdos armazenados, que servem como uma espécie de base para o comportamento. Desse modo, a mente molda e transforma as energias vitais em elementos vivenciais.

O ato de pensar é um processo magnífico que se utiliza das imagens registradas com significados específicos, para definir o comportamento. O som da sirene de uma ambulância, por exemplo, fará você ficar alerta caso esteja no trânsito; no entanto, se estiver dentro de casa, vai agir com indiferença. Um animal feroz no zoológico inspira tranquilidade, porém se ele estivesse solto você ficaria apavorado.

Esse sistema compõe o senso de realidade.

Senso de realidade. É um conjunto de elementos que compõem o universo consciente e favorecem na percepção e reconhecimento das sensações do corpo, bem como na identificação dos estímulos externos. É uma espécie de sensor e qualificador do que é real ou irreal. Ele possibilita nossa orientação pela vida. Nosso sistema nervoso é incapaz de saber se um fato existe no mundo externo ou se a mente o imagina, ele sempre reage da mesma forma. Imaginar um assalto ou ser de fato assaltado causa o mesmo efeito em nosso sistema.

O bom senso é uma capacidade de sua essência. Por meio dele temos a possibilidade de discernir entre o que é adequado ou inadequado ao nosso sistema individual. Optamos pelo que é agradável e nos esquivamos daquilo que nos desagrada, norteando assim nosso fluxo pela vida. Desse modo são formados os valores verdadeiros ou padrões de referencial da realidade que movimentam as nossas virtudes. Ele pode ser obscurecido e negligenciado pela opressão social de modo a impor valores e padrões tidos como adequados. Assim, o senso de realidade assumirá condutas baseadas em ilusões, o que fatalmente criará uma realidade negativa. Já o bom senso, quando utilizado, leva à formação de valores e padrões que criam uma realidade altamente favorável e positiva.

Poder de escolha. Representa um dos maiores atributos do ser humano. Ele permite a cada um de nós articular entre as infinitas oportunidades de cada instante, levando-nos aos caminhos que desejamos seguir na vida. É um conteúdo do consciente.

Escolher é mover a atenção, e vontade é o nome da força que move o foco de nossa atenção. Também aciona e gradua os conteúdos do consciente: quanto mais atenção pusermos em um determinado aspecto da vida, mais claro e vívido ele se tornará, imprimindo-se com mais profundidade em nossa memória, passando a ser importante entre as outras experiências vividas, criando, assim, nossos próprios critérios do que é ou não significativo.

A vida é repleta de opções. A todo momento estamos fazendo algum tipo de escolha. Se estamos na rua, optamos por uma direção a seguir. Durante o percurso tomamos várias decisões, tais como o momento de atravessar a rua, a pista que vamos seguir no trânsito, e assim por diante. Se estamos em casa, decidimos o que fazer, a hora de dormir, etc.

Existem as escolhas mais relevantes, como assumir um relacionamento ou terminar com ele, permanecer no emprego ou procurar outro.

Toda escolha desencadeia uma consequência. O que você está vivendo hoje é fruto da escolha feita no passado. Seu posicionamento presente determina o amanhã. Por isso, saber decidir é tão importante quanto assumir as consequências de seus atos.

Escolher é um direito, arcar com as responsabilidades é uma necessidade.

Para escolher, você é livre, mas sempre receberá de volta as consequências proporcionais a suas escolhas.

Em qualquer situação geralmente há alguma alternativa. Se você estiver se sentindo sem opção, é porque você está muito alienado. Reflita um instante e pergunte a si mesmo: o que posso fazer agora para me sentir bem? Certamente haverá algo à sua escolha. Existe uma diferença entre o ideal e o possível: aquilo que é idealizado nem sempre sabemos ainda como tornar possível. No entanto, constantemente há uma possibilidade, e saber aproveitá-la é o melhor caminho para atingir seus objetivos.

Como fazer a melhor escolha?

No momento de decidir, o que movimenta sua atenção para fazer uma ou outra opção são os desejos. Eles são estabelecidos de acordo com os critérios mentais, e esses fatores são decisivos para qualquer escolha.

A atenção pode ser comparada a um farol cujo foco é direcionado para aquilo que consideramos importante. Dar mais importância aos outros do que a si mesmo o faz querer agradar a todos. Nesse caso, ao lhe pedirem um favor, mesmo não podendo, você vai optar por atender, somente para não desagradar as pessoas.

A partir do momento que você revir e alterar essa postura de ser bom para os outros e passar a importar-se mais consigo e com suas próprias coisas, terá sua atenção dirigida ao que lhe é próprio. Agindo assim, quando for convidado para uma festa ou para fazer um passeio, vai ponderar melhor, considerando o que representa para você estar com aquele grupo e não o quanto poderá significar para os outros a sua companhia. Desse modo, sua atitude é propícia para fazer a melhor escolha.

REGISTROS SUBCONSCIENTES

O subconsciente corresponde aos primeiros níveis do inconsciente, pode ser definido como um estado de fraca consciência. É onde ficam registrados os conteúdos das experiências vividas, as remotas lembranças do passado que servem de fonte da consciência.

Exerce significativa influência nas atividades mentais. Desempenha importante função como arquivo do que você já validou e escolheu como verdade. Como são padrões de pensamento gerando constante interferência no fluxo dos pensamentos, que provocam as sensações físicas, produzindo energias vitais capazes de atrair ocorrências compatíveis com os modelos registrados e possibilitando o sucesso ou fracasso na vida do indivíduo.

É uma zona de execução das crenças e valores do ser humano, sendo, portanto, capaz de alterar as funções biológicas do corpo e criar situações no ambiente de acordo com as impressões gravadas nele.

Como são geradas as impressões?

Nós buscamos sempre ter um posicionamento acerca das informações recebidas. Tudo que se vê, ouve ou vivencia nos leva a refletir e formular ideias a respeito. Algumas experiências são consideradas válidas, outras não. Àquelas que julgamos importantes damos crédito de realidade e dirigimos intensas forças vitais ou importância, ganham o poder de impressionar ou de se instalar em nosso subconsciente.

A ideia registrada serve como base para formular o raciocínio, e dele para a ação. Essas ideias são os padrões que servem como referencial para classificarmos o que é certo ou errado, bom ou ruim. Aquilo que é reconhecido como verdadeiro compõe o universo psíquico do que é o real para o indivíduo. Esses registros, em nível de subconsciente, servem como uma espécie de programa de computador, executando as operações de formação da realidade em nossa vida.

As impressões passam a agir automaticamente em forma de condicionamento. Assim, em nível de consciência, elas se manifestam para nosso eu, na cabeça, na forma de ideias fixas, carregadas de intensa emoção, passam a exercer profundo controle em nossa maneira de pensar e agir.

Assim, se você ficar impressionado com as opiniões dos outros acerca de uma situação ou sobre você, poderá tomar isso como verdade. Procure investigar em si mesmo se é aquilo que você sente. Caso contrário, formará falsas impressões que vão dirigir sua vida e determinar seu futuro. Por isso, não permita que as opiniões dos outros determinem sua maneira de pensar acerca da vida e de si mesmo.

Aprenda a discernir e a avaliar com seus próprios sentidos tudo aquilo que se passa ao seu redor. Também seja você seu próprio sensor para medir suas qualidades, não dependa exclusivamente do ponto de vista alheio para se considerar bom ou se dar valor. Apegue-se à sua capacidade de discernir, dependa somente dos resultados obtidos para se sentir bom o bastante. Vale lembrar que só o fato de conseguir fazer algo já é de grande valor.

O subconsciente não possui discernimento, só aceita os registros que você implantar nele. O poder de escolher o que é importante e que merece a devida atenção é um atributo do consciente. Esse é o centro propulsor das crenças.

O consciente constitui os pensamentos, estipula o que é verdadeiro, dirige a atenção e gera impressões que fazem você acreditar que as coisas funcionam de um jeito e não de outro. É isso que faz com que cada pessoa tenha um estilo próprio de vida e crie um cenário repleto de situações particulares.

Então, você é aquilo que acredita ser.

Definir-se como vencedor atrai sucesso.

Dar importância aos obstáculos é viver criando derrotas.

Posicionar-se como vítima é transformar-se em polo de atração de problemas e doenças.

Todo esse mecanismo de funcionamento da mente mostra que você atrai ou repudia situações, oportunidades e pessoas de acordo com suas próprias estruturas mentais. Elas são responsáveis por tudo de bom ou ruim que acontece em sua vida.

O *que são as estruturas mentais e como elas agem?*

A constituição psíquica é formada pelas ideias às quais damos credibilidade. Não se trata de pensamentos meramente especulativos, mas sim de intensas impressões que tivemos durante o curso de nossas existências. Essas podem ser tanto positivas ou neutras como negativas, dependem da interpretação que se tem dos fatos. As negativas são as estruturas que geram como consequência o medo, a autocobrança, a inferioridade, a crueldade, etc; e as positivas são as de autoestima, de prazer, de coragem, de respeito e outras. Desse modo, determinamos o que é positivo, neutro ou negativo a partir de seus efeitos.

Temos o poder de criar, destruir ou reformular as estruturas mentais de acordo com nossa vontade ou necessidade. No ambiente energético, elas são denominadas formas-pensamento ou amebas.

Elas atuam como vozes dentro da cabeça, ditando normas e regras e obrigando-nos a tomar determinadas medidas, a não nos esquecer dos compromissos, e assim por diante. Estão sempre nos cobrando fazer algo, que tomemos essa ou aquela atitude frente a uma determinada situação e que tenhamos esse ou aquele posicionamento. Quando não seguimos as recomendações, elas acionam os mecanismos de culpa e autopunição. São formas condicionadas, ou seja, automatizadas por nossa vontade.

Nós criamos essas amebas que ditam o que devemos ser e fazer. São regras de como se comportar e de como se relacionar com os outros, para não correr o risco de sermos desaprovados e rejeitados. São estruturas mentais e crenças que foram estampadas no subconsciente.

Um exemplo disso é uma criança que se sentiu rejeitada pelos pais. À medida que foi crescendo, alimentou em si a crença de inferioridade, que a faz sentir-se pouco importante para os outros. Ao reforçar isso, a pessoa vai moldando o subconsciente e espelha no campo energético uma estrutura ameboide de inferioridade, que a faz sentir-se pouco importante.

Esse sentimento atrai indiferença, e, mesmo que a pessoa se esforce para agradar os outros, não obterá respeito. Por outro lado, o sentimento de rejeição aciona os mecanismos de defesa para ocultar a inferioridade. Essas defesas são outras tantas estruturas ou amebas que você estabelece de como tem de ser para agradar os outros e ser aceito.

Há inúmeras defesas. Uma delas é do tipo que faz o papel de "bonzinho" para impressionar os outros e contar com a aprovação deles. Uma outra defesa é fazer o tipo gentil, aquele que é atencioso mas que faz da gentileza uma forma de evitar proximidade com as pessoas. Esse tipo tem medo de que os outros o conheçam profundamente a ponto de saberem até seus pontos fracos e, por causa disso, não o aprovem.

Todas as nossas atitudes e comportamentos são alimentadas por amebas, tanto pelas negativas como pelas positivas.

As amebas negativas que formamos e nutrimos impedem nosso progresso. São ilusões e fantasias que criamos acerca de nós, do mundo e das pessoas. As ilusões causam sofrimentos de toda espécie. Ao dar importância a elas, perdemos o contato com nossa essência e com a realidade. É em consequência dessas ilusões que temos uma vida cheia de desilusões e dificuldades.

Existe também no subconsciente um número razoável de amebas positivas. São elas que nos fazem avançar na vida. São elas as de autovalor, de autoestima, de coragem, de empenho, de crédito em si mesmo, de certeza no próprio potencial, de fé no universo e nas bênçãos que poderemos obter, etc.

É importante saber distinguir quando estamos nos alimentando de uma ilusão ou quando estamos sendo movidos por uma de nossas necessidades reais, ou seja, discernir o ilusório do real. Para isso é fundamental ficarmos centrados em nós mesmos. O si mesmo é sua alma ou essência. Ela é a estrutura básica do ser que organiza e mantém todo o nosso sistema. Só ela pode saber o que realmente é melhor, e nunca a cabeça, que é programada por influências externas educativas. É nela que fica o bom senso, a intuição ou sexto sentido, a vocação, a inspiração ou centro de motivação. Orientando-se por ela, seus falsos valores serão substituídos por verdadeiros.

A essa altura você deve estar se perguntando: por que criamos estruturas negativas, se elas vão nos prejudicar? O motivo disso é que a maioria das pessoas nutre um sentimento de inferioridade em relação a si mesmas. Somos criados numa sociedade comparativa, desde crianças somos cobrados a ser iguais aos outros. Os pais reforçam isso quando dizem a seus filhos: "Por que você não estudou como seus colegas? Seu irmão passou de ano, você não". Essas mensagens criam em nós o hábito de sempre nos espelharmos nos outros e seguir exemplos. Quando não conseguimos, nos desaprovamos e passamos a nos sentir inadequados. Desse modo, não estamos operando o aparelho psíquico adequadamente. Geramos impressões contrárias ao progresso interior, que danificam nosso sistema de integridade.

Em se tratando de amebas negativas, existe uma outra também famosa: é a do "tem quê". A todo instante ela cobra de você e obriga-o a fazer coisas que ela julga serem adequadas, mas nem sempre é aquilo de que você tem vontade. Esse termo, "tem quê", ecoa na mente empurrando-o para dentro, provocando cansaço, peso nos ombros, na nuca, respiração ofegante, enfim, um desconforto físico geral. Ele tira seu ânimo, dando uma sensação de angústia. O termo *ânimo* significa *alma*; essa ameba nega a alma por julgá-la irresponsável. Com ela as pessoas se mascaram, comprometem a espontaneidade, perdem a liberdade e o bom senso.

Há um número incontável de estruturas mentais negativas que criamos e alimentamos. Dentre elas se destacam:

"Não sou capaz de ter sucesso na vida."

"Não sou tão bom quanto meus colegas de trabalho, por isso não tive a promoção que esperava."

"Para mim as coisas nunca dão certo."

"Se eu for muito íntimo dos outros, eles vão conhecer meus defeitos e não vão gostar de mim."

Estruturas como essas podem estar há anos ativadas e causando obstáculos em sua vida. Mas não é o tempo de permanência do padrão limitante que conta. Pode-se nutrir uma estrutura durante anos, porém não é isso que a torna mais forte nem mais difícil de ser modificada, mas sim o crédito, a fé que é depositada nela. Isso porque é o consciente que tem noção de tempo, e não o subconsciente. Para este, o tempo é sempre o presente, por isso qualquer mudança pode ser feita agora.

Não pense você que, pelo fato de ter sido de um jeito durante toda a sua vida, você não pode mudar. A qualquer momento é possível fazer uma reformulação dos valores internos e encarar a vida de outra forma. Basta não dar importância ao velho e permitir-se a renovação, acreditar nos potenciais que existem em você.

Ao mudar as estruturas mentais, você estará fazendo uma completa reformulação em sua vida. Mesmo que as situações ao redor continuem iguais, você vai encará-las de forma diferente. A mudança interior é fundamental para alterar o curso de sua existência.

Resta saber se você está mesmo disposto a se transformar ou se prefere continuar com a mesma cabeça.

Às vezes a vida material está boa, porém o emocional não, ou vice-versa. Caso você não seja uma pessoa realizada, é necessário fazer uma reformulação interna para conquistar a felicidade.

Para o trabalho interior com as amebas, observe-se sem crítica, julgamentos, cobranças ou culpa, porque isso poderá acionar seus programas de autodefesa, o que impedirá a identificação dos conteúdos, bem como a reformulação deles.

O que é necessário então para eliminar uma estrutura negativa? Em primeiro lugar, estar disposto a mudar. Em segundo, é preciso perceber que tipo de estrutura você vem mantendo em sua vida. Quais as mais habituais: positivas ou negativas? Diante de uma situação inusitada, você encara com otimismo ou pessimismo? Acredita que a vida é benéfica ou prejudicial? Você se estima e se aprova ou fica esperando que os outros o façam? Confia que o sucesso econômico esteja ao seu alcance ou se sente fadado ao fracasso?

Para enfraquecer as amebas negativas é necessário que você use seu poder de anulá-las. Para tornar neutro algo a que você deu muita importância, muita força, basta apenas tirar-lhe a importância. Tudo que é verdadeiramente desprezado perde o poder e desaparece.

Por fim, para a reformulação interior ficar completa é necessário nutrir bons pensamentos e, sobretudo, acreditar neles. Comece a pensar dessa maneira:

"Sou importante para mim e digno de ter uma companhia agradável."

"Sou uma pessoa simpática."

"É seguro ser eu mesmo."

"Sou capaz de ter sucesso na vida."

Não permita que as amebas negativas atrapalhem sua positividade. Se algum pensamento contrário ao positivismo vier à cabeça, trate-o com indiferença. Não lute contra nem brigue com ele, pois essa atitude fortalece as amebas negativas. Quando você estiver empenhado em gravar uma estrutura positiva, a negatividade vai invadir sua mente. Não se deixe perturbar por ela, assuma seu poder de escolha e opte por aquilo que é melhor para você. Afinal, o poder de escolha é sempre seu.

INTEGRIDADE DO SER

Estudos recentes sobre a região mental do cérebro chamada subconsciente e sobre os efeitos das impressões gravadas nele mostram que sua capacidade de interferir no funcionamento do corpo é muito grande. Freud foi um dos primeiros a perceber que as atividades mentais poderiam modificar as funções normais do organismo, abrindo assim as perspectivas para uma nova ciência chamada Psicossomática.

Atualmente as pesquisas sobre estresse vêm sendo amplamente divulgadas. Aos poucos o homem vai constatando que as atividades mentais desempenham significativa participação no desenrolar das situações materiais e na saúde do corpo.

Para compreender por que as pessoas adoecem ou apresentam alterações em diferentes partes do corpo, bem como por que uns vivem doentes enquanto outros são saudáveis, foi desenvolvido este estudo de Metafísica da Saúde. O objetivo é conscientizá-lo de que sua condição interna é um fator predominante para manter a saúde física e melhorar a qualidade de vida.

O corpo acusa o modo como estamos lidando com os acontecimentos. Cada parte dele reflete uma emoção. Todas as alterações metabólicas têm sua origem nas atividades mentais. Nesse paralelo entre o físico e o mental, você vai compreender que suas atitudes determinam a saúde física bem como sua condição de vida.

Resumidamente, emoção é a resposta aos estímulos mentais que atingem o baixo ventre emitindo ondas cíclicas que sobem. Sentimentos, por sua vez, são vibrações emitidas do peito, também fruto das atividades mentais. De acordo com a maneira como estamos respondendo às situações da vida, temos uma afetividade saudável ou não. Saúde existe quando pensamos e agimos em concordância com nossa natureza individual ou nosso temperamento. Entretanto, se estivermos em desacordo, criamos conflitos que perturbam nossa estabilidade afetiva que se manifestam no corpo como desequilíbrio ou sintomas.

O sistema de integridade age em nível de subconsciente. Ele impede que um bom número de pensamentos seja transformado em realidade. Funciona como uma defesa natural contra nossa ignorância. Você já imaginou se todos os pensamentos negativos carregados de intensidade fossem imediatamente transformados em realidade? Por certo nem o mundo existiria. Quando estamos emocionados formulamos centenas de pensamentos negativos, porque é natural em nosso nível de evolução não sabermos lidar bem com nossa afetividade.

O sistema de integridade seleciona o material que chega ao subconsciente e só deixa tornar-se realidade aquilo que é considerado seu melhor. Ele é o preservador da evolução e dos objetivos da vida em nós.

Estamos protegidos de nossa ignorância, mas não daquilo de que temos consciência.

Nossa ideia da melhor maneira de ver ou fazer as coisas vai evoluindo com nossas experiências. A cada dia sabemos fazer melhor as coisas. Quando fazemos uma coisa que é nosso melhor meio de fazê-la segundo nossa relativa inteligência, o sistema de integridade procura criar realidades baseado em nossos melhores padrões, mesmo que a nossa ação seja negativa. Exemplo disso é a pessoa que pragueja e se queixa como forma de reagir àquilo que acontece e de que ela não gosta. Para ela, essa é a melhor maneira de agir, pois ainda não aprendeu a fazer melhor. Em vez de o subconsciente materializar negatividades, ele sofre a ação do sistema de integridade e este seleciona padrões positivos para materializar, porque praguejar é o melhor da pessoa e ele reproduz o melhor.

Em outras palavras: se você faz seu melhor, o subconsciente materializa o que você padronizou como o seu melhor.

Mas se você, movido por escutar os palpites alheios, resolve agir de uma maneira que não é o seu melhor, então o sistema de integridade vai retrair-se e algo proporcional ao que você está crendo naquele momento se materializará.

O seu melhor o protege.

O seu melhor é classificado pelas experiências que você viveu e nunca pelo que você aprende teoricamente. Você pode ter uma cabeça cheia de moral e valores aprendidos filosoficamente, mas eles nada têm a ver com o seu melhor. É necessário que você tenha sentido de corpo inteiro um pensamento para que ele seja reconhecido como o melhor. Se você já experimentou o perdão e sentiu como ele é benéfico, então ele passa a ser um padrão e se você não perdoar então seu ato será tido como o pior e sua realidade será negativa.

Assim, quando uma mulher que sabe se dar aos outros e tem como experiência a satisfação afetiva de se dar de uma certa forma nega-se a dar porque se desapontou com os outros, ela não está fazendo o seu melhor, e assim ela perderá a natural proteção do sistema de integridade e provavelmente apresentará seu ressentimento como um caroço no seio. Se o fato de ela se negar fosse o melhor dela, o ressentimento não se transformaria em caroço no seio, porque o sistema de integridade teria impedido isso.

Portanto toda doença é algo que você está fazendo e mantendo que não é o seu melhor de acordo com sua evolução. Isso explica por que pessoas mais evoluídas do que nós estão doentes, porque por certo elas não estão fazendo algo exatamente de acordo com sua evolução. Isso também explica por que uma pessoa mais atrasada que nós pode estar gozando de plena saúde: ela, mesmo em sua ignorância, está fazendo o seu melhor.

Um ato pode ser natural para uma pessoa e perigoso para outras. O universo se organiza sob a lei da individualidade. A lei da vida é relativa à individualidade, à evolução e à singularidade.

Em suma, a pessoa só fica doente quando seus pensamentos e ações são contrários ao fluxo de sua natureza íntima e sua relativa sabedoria. Geralmente isso acontece quando se tenta mudar o jeito de ser para agradar os outros. É o caso de uma pessoa comunicativa passar a censurar sua expressão, tornando-se calada. Isso pode causar doenças na garganta. O mesmo acontece com as crianças que são constantemente repreendidas na expressão verbal; geralmente elas apresentam inflamações na garganta.

Na concepção metafísica existe um fator de fundamental importância: não é a situação externa que determina a condição interna. O meio contribui, mas não é um fator determinante, haja vista cada um reagir de uma maneira frente às mesmas situações. Diante do desprezo, por exemplo, existem aqueles que se revoltam, tornando-se agressivos; outros se reprimem e sentem-se carentes; há também aqueles que se tornam independentes. Dependendo do nível de evolução de cada um, tudo pode dar em nada.

É comum encontrarmos pessoas que foram maltratadas na infância e nem por isso são revoltadas; ao contrário, mantêm sua dignidade e respeito próprio. Por outro lado, existem aqueles que foram bem tratados e, no entanto, são rebeldes e maldosos. Enfim, não somos frutos do ambiente, mas sim coniventes com tudo de bom ou ruim que nos acontece na vida, bem como responsáveis pela saúde ou pelas doenças que afetam o corpo.

A postura frente aos episódios é que determina o desenrolar dos fatos. Por mais desagradável que venham a ser os resultados, você tem uma parcela de responsabilidade sobre eles. Qualquer que tenha sido sua atitude, você gerou a situação que hoje o está assediando. Sua conduta atual frente ao que o cerca poderá tanto agravar como atenuar o reflexo de uma postura anterior. Basta que você sempre faça seu melhor e não se deixe afetar pelos palpites dos outros.

A doença no corpo é desencadeada pelas atitudes nocivas a você em particular, já que sua evolução é relativa ao que você experimentou. Não se pode dizer que uma pessoa, em sã consciência, escolhe ter uma determinada doença. Ela surge como um reflexo de sua condição interna.

Ao adquirir a consciência metafísica de uma disfunção orgânica, você obtém um importante recurso para a reorganização do mundo interno. Essa reformulação irá refletir no ambiente externo, criando uma nova condição de vida, principalmente no corpo, em forma de saúde e vitalidade.

Se por um lado a consciência metafísica tira todos os seus álibis para justificar seus próprios infortúnios, por outro resgata seu poder de alterar as condições desagradáveis da vida, bem como o de reconquistar a saúde do corpo.

Resgatar a saúde representa voltar a fazer seu melhor e aceitar com modéstia e boa vontade o que você é. Terá portanto que aprender a confiar em si e a ter a coragem de ser você mesmo diante das expectativas e cobranças do mundo.

METAFÍSICA E HEREDITARIEDADE

A ciência explica que o único modelo organizacional do corpo humano é a genética, ou seja, os genes dos pais são os fatores exclusivos e determinantes das características fisiológicas.

Na concepção metafísica, o corpo humano é organizado pela consciência não desperta. O ser possui intrínseca na alma uma estrutura organizacional das células desde sua formação embrionária. A metafísica admite, porém, que todas as pessoas herdam uma carga genética que indubitavelmente é necessária para a constituição biológica. No entanto, o que determina as características fisiológicas são os fatores existentes no âmago do ser. São aproveitados os genes compatíveis com a constituição interior para estampar no corpo as particularidades da alma. A mutação genética é determinada pelas condições do espírito reencarnante. O princípio da reencarnação altera consideravelmente as afirmações prematuras dos pseudocientistas.

Entre as pessoas da família existem profundas afinidades, a começar pelo fato de estarem juntas na trajetória de vida. Os fatores em comum também estão expressos no corpo, revelando que possuímos semelhantes características na constituição emocional. Essa afinidade existe tanto nos conteúdos positivos — como semelhantes habilidades e potenciais — quanto nos fatores negativos que se apresentam em forma de doenças hereditárias ou congênitas.

Um dos fatores que fundamentam a teoria metafísica é que nem todos os filhos de pais diabéticos, por exemplo, irão desenvolver essa doença. Se a hereditariedade fosse o fator determinante, todos os filhos desenvolveriam as mesmas doenças, mas não é isso que acontece. As exceções demonstram que existem os fatores individuais somando com os genéticos para determinar as condições físicas.

Desse modo, compreende-se que não somos vítimas das informações genéticas. Não são elas as únicas responsáveis pelo aparecimento das doenças herdadas ou de má formação, mas sim nossa condição inata, que nos atrai a uma família geneticamente compatível e que possibilita estampar no corpo as marcas condizentes com nossa própria estruturação interna.

Ao longo deste estudo vamos encontrar uma série de doenças, cujas causas orgânicas são atribuídas à genética. Serão feitas leituras das causas metafísicas dessas doenças, independentemente da forma como elas se originaram, haja vista existir sempre uma condição pessoal de responsabilidade do próprio doente, mesmo nas patologias congênitas. Enfim, a genética deixa de ser o único vilão de algumas enfermidades, e você se torna cada vez mais responsável por seus próprios infortúnios.

O mesmo se aplica aos problemas infantis. Iremos compreender que mesmo a criança sendo dependente dos pais e passiva ao ambiente, a doença não é atribuída exclusivamente a esses fatores. Não cabe ao pais a total responsabilidade pela condição da criança. O fator determinante é do próprio ser. Quando ela adoece, é porque se encontra numa atmosfera que propicia o mal físico. No entanto, sua condição emocional também se encontra abalada.

A criança tem uma maneira própria de reagir aos episódios do lar, pois traz do passado muitas experiências que formam já seu temperamento. Quando essa postura for compatível com as causas metafísicas da doença, ela irá apresentar no corpo o reflexo de uma atitude nociva para seu emocional.

Como a criança ainda não desenvolveu a linguagem de expressão, sua condição interna não terá a mesma manifestação de uma pessoa adulta. Porém isso não a exime das responsabilidades daquilo que o corpo apresenta. A condição emocional é a mesma em qualquer idade. Assim, portanto, quando uma criança adoece, é possível compreender, por meio da consciência metafísica, quais são as características internas daquele ser que está iniciando sua trajetória de vida.

Conscientes dos pontos fracos da criança, os pais terão um recurso a mais para favorecer o desenvolvimento de seus filhos.

CONSCIÊNCIA E RESPONSABILIDADE

A consciência é um processo individual. Cada um vive suas próprias experiências de acordo com seu conhecimento. À medida que nos desenvolvemos interiormente, ampliamos os horizontes e assumimos maior responsabilidade sobre nossos atos.

Responsabilidade é o poder de você ser você mesmo, de responder por suas habilidades, é dar o melhor de si. A vida não exige mais do que você pode fazer. Estar no seu melhor é agir de acordo com seus potenciais.

O que vem a ser o seu melhor? É aquilo que você já experienciou. Não se trata apenas de concepções psíquicas ou um simples aprendizado. É mais que isso, refere-se a uma prática adquirida no exercício da vida. É a melhor maneira encontrada para proceder numa situação. É o mais adequado à sua condição emocional, por isso gera harmonia e bem-estar.

A vida é um constante processo de mutação. Estamos sempre desenvolvendo novas habilidades e nos tornamos mais conscientes dos próprios potenciais. Aquilo que é bom hoje pode não ser o melhor amanhã, porque encontramos uma nova forma de agir.

Enquanto estivermos fazendo o nosso melhor, tudo andará bem na vida, e teremos saúde.

Mas, quando suas atitudes não forem apropriadas, ou seja, se não estiverem de acordo com sua condição interna, tudo à sua volta se desestabilizará, podendo até surgir doenças no corpo.

Agir de maneira inadequada para si é desconfortável e prejudicial. Seria o mesmo que um adulto vestir uma roupa de criança: vai apertar e machucar.

O corpo é uma espécie de sensor que acusa as atitudes inadequadas que persistimos em manter. Essas posturas desencadeiam a desarmonia interior, causando as doenças.

Por outro lado, se uma pessoa não tem condições de atuar de outra maneira, a natureza a protegerá de qualquer reflexo negativo que aquela postura possa causar, haja vista ela não estar se agredindo, apenas fazendo o que é possível dentro de seus limites. Constantemente fazemos agressões a nós mesmos e nem sempre arcamos com as consequências. Isso porque não temos plena consciência de nossos atos. Por esse motivo, a natureza nos protege.

Só podemos ser responsáveis por aquilo de que temos consciência, não pelo que ignoramos. Como se pode exigir de uma pessoa algo que ela ainda não aprendeu?

É como alguém que não é habilitado a dirigir e desconhece os sinais de trânsito: sua posição dentro de um veículo é de passageiro. Nessas condições, se ele sugerir entrar na contramão, essa sugestão não será considerada pelo motorista, que conhece as leis de trânsito. Porém, se o condutor o fizer, será multado.

Todo esse contexto explica o fato de você se identificar com alguns comportamentos compatíveis com as causas metafísicas das doenças descritas neste livro sem jamais ter apresentado qualquer disfunção orgânica naquele sentido.

A metafísica não é aplicada para prever futuras doenças, ela objetiva alertá-lo de sua condição afetiva indevida, para manter a saúde e melhorar a qualidade de vida.

Em sua concepção básica, compreende-se que passado e futuro fundem-se no presente. A conduta atual pode resolver as pendências emocionais e alterar as próximas situações.

DOENÇA

Se você apresenta algum problema físico, é importante perceber qual aspecto da vida está deixando de fluir adequadamente. A doença é a manifestação dos conflitos interiores. Antes de ocorrer a somatização, a pessoa apresenta problemas de ordem emocional, como angústia, depressão, medo, etc. Essa condição interna é um aviso de que sua atuação na vida é inadequada a seu temperamento. Ela acusa a postura embaraçosa de alguém que está se boicotando em favor dos outros e se desviando de seu verdadeiro ser. Esse mecanismo existe para alertar e não para castigar. Desse modo você poderá perceber o mal que está fazendo para si mesmo. A partir do momento que há um reposicionamento interior, resgata-se a harmonia e consequentemente a saúde.

É você quem cria as condições propícias à manifestação das doenças. Da mesma forma, você também tem a capacidade de destruí-las e sarar. Talvez seja difícil conceber que você é a causa dos distúrbios da saúde, pois aprendeu erradamente que o corpo fica doente sem a sua participação. A metafísica vem mostrando que cada um é responsável por tudo que acontece em seu corpo.

Uma vez já somatizada a doença, é preciso ter o acompanhamento médico para restabelecer o físico. Paralelamente ao uso de medicamentos, é necessário mudar as atitudes inadequadas que causam prejuízos emocionais e físicos.

Os remédios tratam o físico, fortalecem temporariamente o corpo e eliminam os sintomas. Mas, se você não mudar a condição interna que está gerando a doença, ela surge em outra área do organismo.

Para encontrar as causas metafísicas das doenças não é necessário se pressionar, nem se obrigar a chegar à raiz do problema. Assim você estará indo contra si próprio, e isso abala ainda mais sua condição interna, agravando os sintomas físicos. A resposta surge naturalmente, basta olhar para si mesmo e tentar descobrir em que área da vida você não tem fluído bem. Observe o que está afetando sua estabilidade emocional e, finalmente, o que o leva a ficar nesse estado.

Você pode até ter razão por se sentir assim, no entanto isso não faz bem emocionalmente e afeta o corpo. Procure resgatar a serenidade, não se julgue nem se deixe afetar pelos julgamentos dos outros. Dê-se força, não se obrigue a nada, deixe a consciência agir sobre você. Admita o fato de não estar encarando a situação da melhor maneira, procure adotar uma nova postura de vida. Desse modo você estará resgatando sua integridade moral, consequentemente a dor física deixará de existir.

A dor é uma sensação exagerada, com o intuito de despertar a consciência para as nossas inadequações. Ela não é o único caminho para o progresso espiritual, como muitos pensam. Ela faz parte da vida daqueles que resistem ao fluxo natural do ser e persiste enquanto não houver a reformulação interior.

Essa transformação pode ocorrer naturalmente durante o período de convalescência, sem que a pessoa associe seu emocional afetado com a doença, apesar de estarem intimamente interligados. A dor promove um estado de reflexão. O simples fato de se abster da dinâmica do cotidiano por conta de sua condição debilitada já é um fator positivo para se trabalhar interiormente.

Quando isso acontece, a pessoa altera seus valores e supera esse período obscuro de sua vida com uma nova postura. Ninguém sai de uma fase de sofrimento com a mesma cabeça, porque a situação só muda se você mudar.

A dor tem um poder de transformar o indivíduo. Ela é uma condição extrema para superar os bloqueios instalados durante a trajetória de vida. Ela só passa definitivamente quando a pessoa muda sua atitude interna.

A cura é uma combinação do tratamento físico com o reposicionamento interior. Do mesmo modo que é importante procurar o médico, também é necessário investigar as causas emocionais. Uma vez reparada a condição interna, o tratamento físico se torna mais eficaz.

A consciência metafísica acelera o processo de recuperação, por indicar em você aquilo que está mal resolvido. Partindo disso, é só ter boa vontade, abandonar a vaidade e não ser resistente, que a reformulação acontece com naturalidade.

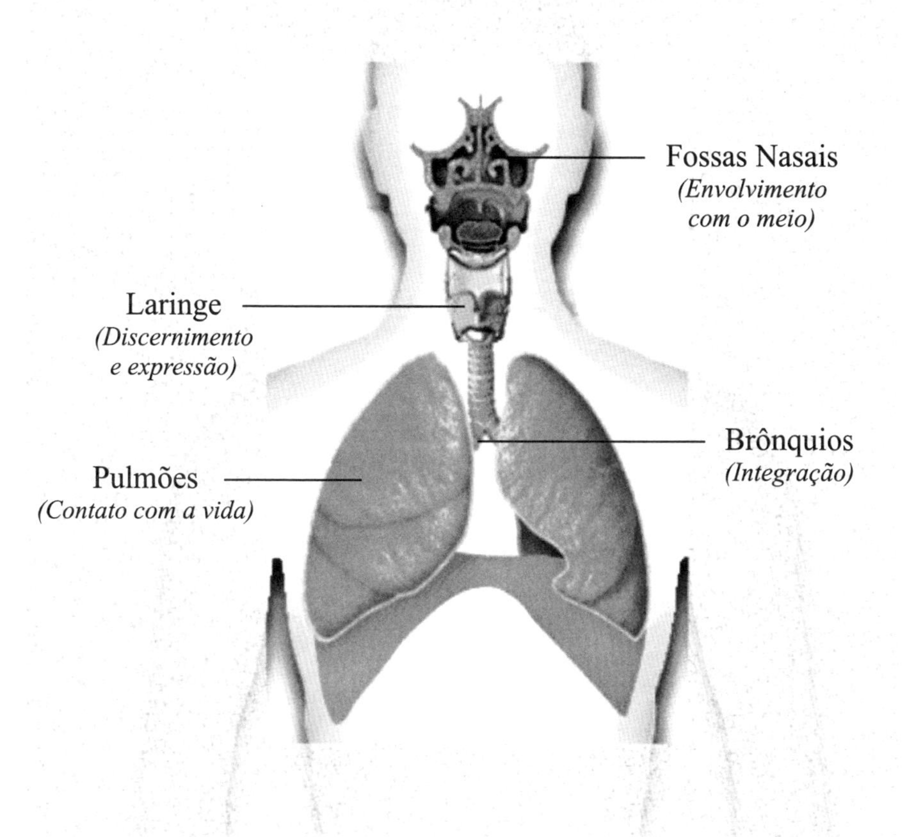

SISTEMA RESPIRATÓRIO

Relação com as ideias

SISTEMA RESPIRATÓRIO

O sistema respiratório é responsável pela condução do ar contendo oxigênio (O_2) até os pulmões e pela eliminação de gás carbônico (CO_2) resultante das oxidações celulares. Sua estrutura é formada pelos pulmões e por um sistema de tubos condutores que compreende as fossas nasais, a laringe, a traqueia, os brônquios e os bronquíolos.

O processo respiratório pode ser dividido em quatro fases:

1ª – Troca gasosa com o meio externo, que ocorre nos pulmões, através de minúsculas aberturas chamadas alvéolos.

2ª – Transporte dos gases respiratórios (O_2) desde os pulmões até os tecidos, e vice-versa, por meio do sangue.

3ª – Troca gasosa entre o sangue e as células, que é feita nas paredes dos capilares (porção final dos vasos sanguíneos) que se comunicam com o tecido intersticial (líquido entre as células).

4ª – Respiração celular, que consiste nos processos oxidativos intracelulares, consumindo O_2 recebido pelo sangue e produzindo CO_2, que é depositado na corrente sanguínea.

A respiração é um ato às vezes voluntário e às vezes involuntário. Os movimentos involuntários são automáticos e estão sob o comando do sistema nervoso central, por intermédio do bulbo, no qual o pensamento não participa. A parte voluntária dos músculos respiratórios possibilita o controle consciente dos movimentos. Desse modo, podemos intervir a qualquer momento, colocando a respiração sob o controle da vontade. Assim, torna-se possível interromper a respiração por alguns instantes, bem como variar o ritmo respiratório, possibilitando-nos falar, comer, cantar, etc.

O ritmo respiratório reflete nosso estado emocional. Quando estamos ansiosos, a respiração é rápida e curta. Durante um período de medo, aumentamos o intervalo respiratório. Se estivermos apavorados, respiraremos em descompasso.

Além de refletir a condição interior, o ritmo respiratório também influencia na alteração desse estado, bastando para isso controlar a respiração e alterar seu compasso. Um bom exemplo disso é quando alguém está muito agitado ou nervoso, e lhe dizemos: "Calma, respire fundo". De fato, a calma advém da alteração do ritmo respiratório.

Assim, portanto, quando você perceber que está ansioso, respire lenta e profundamente. Isso será de grande proveito para amenizar sua ansiedade.

Segundo a doutrina hindu, a respiração é portadora de importante força vital, a qual chamam de "prana". Conforme o hinduísmo, o "prana" é agregado às moléculas de oxigênio. Ao absorver o ar, somos abastecidos por essa energia que promove a vitalidade orgânica.

As técnicas respiratórias são importantes para adquirir e manter a saúde e serenidade interior.

Várias filosofias orientais utilizam esses métodos e obtêm excelentes resultados. A prática de exercícios respiratórios promove saúde e bem-estar.

A respiração é um veículo de comunicação entre o mundo interno e o meio externo. Como seres humanos, trazemos em nosso ego a tendência de mergulhar no isolamento, sendo a respiração um elo de contato com o mundo externo, que impede de nos isolarmos. Ela representa uma constante sugestão de integração harmoniosa com o ambiente. A respiração é composta de duas etapas: inspiração e expiração.

A *inspiração* é a absorção do oxigênio contido no ar, que é levado aos corpúsculos vermelhos contidos no sangue. É o ato em que os elementos externos penetram no mundo interno. Inspirar refere-se à sua *capacidade de absorver a vida.*

A *expiração* promove a eliminação do gás carbônico produzido pela oxidação das células. Expirar é expelir conteúdos provenientes do interior do organismo, que são lançados no ambiente externo. Esse ato relaciona-se à sua capacidade de se expor e deixar fluir seus conteúdos interiores. É a *livre expressão de si.*

O processo respiratório expressa a capacidade de absorver e se expor, ao âmbito da troca, do dar e receber. Se a pessoa lidar bem com isso em sua vida, seu sistema respiratório será saudável. Porém, se tiver uma relação problemática entre ela e o mundo, isso irá refletir nesse sistema, provocando alguma doença. De acordo com a doença respiratória, pode-se compreender melhor as complicações internas nessa área da vida.

Em geral, qualquer problema respiratório está relacionado com a dificuldade em lidar com o ambiente. Demonstra que a pessoa não está suficientemente aberta para os acontecimentos à sua volta, tampouco sente-se livre para se expressar. Resistir ao que se passa no ambiente, bem como não ser espontâneo diante da situação, é altamente nocivo para o mecanismo respiratório.

Para amenizar os problemas respiratórios é necessário que você se abra para a vida e aprenda a absorver o que está acontecendo à sua volta. Somente assim é possível se colocar na situação com a consistência interior digna de quem elaborou o que se passa e por isso pode opinar com segurança. Essa atitude, além de ser saudável para as vias respiratórias, promove o bem-estar interior e a harmonia do ambiente.

FOSSAS NASAIS

Primeiro contato entre o externo e o interno.
Habilidade para lidar com os palpites
e sugestões dos outros.

As fossas nasais comunicam-se com o meio externo pelos orifícios das narinas. São responsáveis por preparar o ar para penetrar no interior do aparelho respiratório, iniciando o processo de filtragem, o aquecimento e a umidificação do ar inspirado. Em virtude desse processo, não há choque térmico entre a temperatura do ambiente e do interior do corpo.

Na visão metafísica, o ar está relacionado com as ideias a respeito de uma situação, aquilo que pensamos ou achamos acerca das coisas que estão ao redor. Refere-se às conjecturas que formulamos sobre os fatos.

Quando estamos diante de um acontecimento, tiramos nossas conclusões, e, muitas vezes, essas deduções nos deixam tão apavorados que mal conseguimos lidar com os acontecimentos. Ao adotar uma óptica pessimista, fica difícil encarar a realidade.

O que pensamos acerca dos acontecimentos e a maneira como acatamos os comentários influenciam o funcionamento das fossas nasais. O autoconhecimento e o respeito próprio são fatores primordiais para o equilíbrio entre o mundo interno e o meio externo, mantêm saudável a região nasal e melhoram a relação com a vida e as pessoas ao redor.

No tocante à respiração, podemos dizer que as fossas nasais são o primeiro contato do exterior com o interior. A função fisiológica de iniciar o processo de filtragem do ar correlaciona-se metafisicamente com o preparo da pessoa para lidar com as ideias e suposições acerca de algo. Sua habilidade em absorver o novo e lidar com os palpites e sugestões mantém saudável essa parte do corpo.

Em oposição, você se sentir agredido, abalado ou preocupado em relação às opiniões dos outros acerca da vida, do futuro ou de si mesmo torna-o vulnerável às complicações nasais. Não admitir certas coisas, mas também não se desligar delas, deixa-o incomodado, é como se aquilo ficasse "registrado" na região nasal, causando uma espécie de congestionamento de ideias. O negativismo acerca da atmosfera à sua volta é o grande vilão dos problemas das fossas nasais.

Antes de compreendermos os principais problemas que afetam as fossas nasais, vamos conhecer os sintomas mais comuns que elas apresentam. Geralmente essas condições estão associadas a algumas doenças. Convém fazer as associações entre elas para compreender melhor as causas metafísicas que as afetam. Com essa consciência você poderá a qualquer momento reverter seu quadro de saúde, bastando se reposicionar interiormente.

O muco ou catarro armazenado nas fossas nasais provoca a *congestão nasal* ou, como é conhecida popularmente, "*nariz entupido*". Esse quadro físico é decorrente do conflito entre o que você sente e o que os outros falam, ou, ainda, por deparar com fatos contrários às expectativas. Se você não estiver seguro naquilo que sente, qualquer coisa o abala, pois, se estivesse, nada que viria de fora o afetaria, por mais que se contrapusesse a você. Se afeta, é porque não há solidez interior. Essa fragilidade dificulta a absorção de elementos externos, gerando conflitos por você não saber lidar com o negativismo do ambiente nem com os palpites dos outros.

Coriza é um nome pouco usado para o sintoma de resfriado comum. Caracteriza-se pelo aumento na produção de catarro provocado pela inflamaçao nasal. Geralmente aparece como sintoma da gripe. Interiormente é o momento em que você está se preparando para eliminar os conflitos que vêm assediando sua relação com o ambiente.

A produção de muco nas fossas nasais é um mecanismo de proteção da mucosa afetada. Analogamente a isso, você está buscando se proteger para não ser afetado pelas possibilidades negativas da situação.

O canal lacrimal tem ligação com as fossas nasais. Assim, a maior parte do líquido do corrimento nasal é proveniente das glândulas lacrimais, tanto que, ao chorar, o nariz escorre. Pois bem, esse sintoma demonstra um choro reprimido.

A leitura metafísica do choro é o desprendimento. Nesse caso, pode-se dizer que você está eliminando a confusão interior ou aquilo que o está incomodando. Quem não se permite chorar vai acumulando emoções que podem se manifestar por meio das vias nasais em forma de coriza.

GRIPE OU RESFRIADO

Confusão interior.
Despreparo para lidar com as mudanças.
Falta de confiança no novo.

A rigor não existe na medicina uma doença chamada gripe. Esse termo é comum para designar um resfriado. O resfriado é um processo infeccioso das vias aéreas respiratórias superiores causado pelo vírus "influenza". Esse vírus não se restringe ao nariz, difunde-se por toda a circulação, provocando cansaço, indisposição e fadiga muscular.

Os casos de gripe geralmente ocorrem durante algum tipo de mudança. Podem não ser transformações significativas, basta ser uma situação inusitada, em que você se atrapalha para adaptar-se a nova dinâmica, ou ainda a simples perspectiva de mudança que o deixa amedrontado.

A maior agravante nessas situações é o apego ao passado. Isso impede que a pessoa se dedique ao novo, permanecendo ligada às atividades corriqueiras. Esse procedimento é desgastante para o físico e o mental, causando uma baixa resistência, e consequentemente torna-o vulnerável ao contágio da gripe.

Quando a gripe se instala em seu organismo, demonstra que você está atravessando ou acabou de passar por um período de muita confusão interior. Esse estado é um somatório de pequenas coisas com as quais você não tem habilidade para lidar. Acaba por atropelar-se, querendo resolver tudo ao mesmo tempo. Não consegue manter uma dinâmica coerente com sua capacidade, extrapola os limites e fica estressado.

Somados a isso tudo, existem também os palpites e as especulações dos outros, que atrapalham ainda mais, porque você se deixa afetar por insinuações negativas acerca de algo que já é difícil para ser resolvido, aumentando ainda mais sua confusão interior.

As pessoas "gripáveis" ou constantemente afetadas pelo vírus da gripe são as que se contagiam facilmente com a negatividade alheia, gerando uma atmosfera de pessimismo e derrotismo. Seu despreparo e falta de habilidade em lidar com a situação é que as tornam vulneráveis aos outros e, consequentemente, ao contágio do vírus.

A gripe surge como a expressão do desejo inconsciente de fuga, é um álibi perfeito para você se afastar das situações desagradáveis e conflitantes do cotidiano. A enfermidade requer repouso. É a pausa de que você precisa mas não se permite dar. Até o apetite é acentuadamente reduzido, demonstrando sua dificuldade em aceitar os novos episódios da vida. No íntimo, você já está "cansado de tudo", não quer mais nada, só um tempo para a sua "cabeça" e para se refazer física e emocionalmente.

Só assim para você se dedicar mais a si mesmo. De outra forma, não descansaria enquanto não estivesse tudo na mais perfeita ordem. É de praxe cuidar de tudo e de todos menos de si mesmo. Agora é sua vez. Mesmo querendo fazer muitas coisas, seu corpo não tem mais energia, exige repouso.

Não espere chegar a esse ponto para atender às solicitações do corpo. Respeite seus limites físicos e mentais. Saiba se desprender do velho e abraçar o novo, confiante de que será bem-sucedido.

Além dos casos individuais de gripe, existem fases em que ela se torna coletiva. Obviamente o contágio e os fatores climáticos favorecem a epidemia, no entanto não se pode negar os fatores internos de cada pessoa, haja vista existirem nessa mesma época crises que afetam a sociedade desencadeando o mecanismo interior, que determina a vulnerabilidade metafísica para a gripe. Trata-se de períodos em que o negativismo social torna-se contagiante. Isso ocorre em face de alguma transição social, política ou econômica, que provoca a instabilidade e, consequentemente, uma série de dúvidas, medos e incertezas na população.

Os sintomas da gripe, como espirro, tosse, etc., apontam mais elementos sobre o estado interno. Convém você consultá-los para compreender ainda mais os conflitos emocionais que causaram essa moléstia.

RINITE

Abalar-se pelas confusões do ambiente.

Não se permitir errar.

Adotar um comportamento exemplar.

Inflamação da mucosa nasal, decorrente da ação de vírus, bactérias ou alérgenos.

Dentro de uma visão metafísica, a rinite está relacionada com o fato de a pessoa se abalar pela atmosfera do ambiente em que vive. Ela se irrita facilmente por qualquer coisa que acontece à sua volta, principalmente com a forma de os outros pensarem e agirem.

Numa fase de instabilidade financeira da família, atritos no lar e risco de separação dos pais, ocorre uma série de perturbações. Isso provoca medo e insegurança em relação ao futuro. Situações dessa natureza afetam qualquer pessoa. No entanto, aquele que tem rinite é quem mais sofre as consequências emocionais. A desestabilização interior reflete no corpo, tornando as fossas nasais vulneráveis às inflamações.

O isolamento é frequente nas pessoas afetadas pela rinite. Elas geralmente não expressam o que sentem, fecham-se em seu mundo, demonstrando uma aparente indiferença ao que está acontecendo, quando, na verdade, a situação tempestuosa abala profundamente suas bases emocionais.

Geralmente se sentem culpados por tudo que acontece de ruim ao seu redor. É o caso, por exemplo, de uma criança cujos pais vivem em constantes atritos, sempre na eminência de uma separação, que só não ocorre por causa do filho. Ao sentir essa atmosfera, a criança se culpa pelos atritos dos pais. Não são todos os casos de rinite que estão associados à culpa. Algumas pessoas se rebelam contra os outros, tornando-se revoltadas.

Além desses fatores que afetam quem sofre de rinite, a causa metafísica do problema está no desejo de ser uma pessoa exemplar. Exige de si uma postura modelo perante aqueles que o cercam. Quer ser o melhor em tudo. Não se permite errar. Costuma ser egocêntrico, deseja que tudo gire em torno de si e aspira ser o centro das atenções.

Existem algumas situações que propiciam o surgimento dessas condutas. Dentre elas se destaca o fato de ter sido o filho mais velho ou o filho único.

Na condição de filho mais velho, lhe é atribuída a responsabilidade sobre os irmãos. Isso costuma ser enfatizado pelos pais, com frases como: "Você não pode errar" e "Você tem que dar o exemplo para seus irmãos".

No tocante a ser filho único, recai sobre ele a projeção dos pais de ser a chance do sucesso e da felicidade familiar. Geralmente os genitores insinuam que ele precisa ser o melhor entre os primos. Ao agirem assim, eles não percebem o mal que estão fazendo a seu filho. Projetar nele a oportunidade de obterem o reconhecimento por parte dos parentes reflete sua própria inadequação e inferioridade.

Vale lembrar que esses fatores influenciaram, porém não foram determinantes para que a pessoa se tornasse assim. Ela própria é a responsável por ter reagido desse modo frente às cobranças. Tudo que passou apenas reforçou nela a tendência a essa postura indevida que desencadeia a somatização da rinite.

Somente a própria pessoa pode avaliar o quanto sofre por essa atitude inadequada que assumiu na vida. Isso gera um excesso de expectativa, bem como uma sobrecarga de atividade, promovendo um grande desgaste físico e psíquico.

Para reverter esse processo é necessário mudar seus valores, abandonar certas crenças e deixar de se sentir o pivô das desditas alheias, como também parar com a mania de atribuir a si as melhores qualidades. Lembre-se: existe muita gente boa e até melhor do que você em certos aspectos, porém isso não deve fazê-lo sentir-se menor. Você é você e não precisa provar nada a ninguém. Apenas assuma essa postura de integridade e não dependa da aprovação dos outros.

Existem vários tipos de rinite, entre elas a aguda, a crônica e a alérgica. Cada uma delas tem uma peculiaridade física e metafísica, como segue.

Rinite aguda. É a manifestação habitual do resfriado comum. Em alguns casos os vírus causam a coriza comumente interpretada como o início de um resfriado; em outros, a rinite aguda é desencadeada por reações alérgicas.

O que caracteriza a postura interna da pessoa que desenvolve a rinite aguda são os pequenos machucados provenientes de seu meio, que geram crenças estereotipadas. Por exemplo: uma criança que presencia muitas discussões entre os pais ou irmãos pode desenvolver a crença de que a vida conjugal ou familiar é um constante atrito. Assim, quando ela vir a ter relacionamento afetivo, ou mesmo quando for constituir sua própria vida conjugal, desenvolverá os mesmos comportamentos dos pais, pois essa é a bagagem vinda da infância.

Outra situação muito comum na manifestação dessa rinite está relacionada à vida profissional. Ao sentir-se traída, a pessoa fica traumatizada. Quando começa a trabalhar numa nova empresa, fica alerta e desconfiada com os colegas. Para ela, a aproximação dos outros é encarada como uma "jogada" para prejudicá-la. Nessa fase, pode-se desenvolver a rinite aguda.

Rinite crônica. Provoca obstrução nasal com secreção mucopurulenta. Apresenta atrofia da mucosa e formação de crostas exalando mau cheiro. Outras causas da rinite crônica são a sinusite purulenta e o desvio do septo nasal.

Toda doença crônica está relacionada à persistência no padrão metafísico causador daquela disfunção orgânica. Assim sendo, a rinite crônica demonstra rigidez. A pessoa teima em manter as mesmas crenças desenvolvidas ao longo da vida. Não tem muita vontade de se relacionar com os outros, como se já estivesse cansada de ficar em constante alerta ao que pode acontecer no ambiente. O mau cheiro provocado por esse tipo de rinite demonstra o desejo inconsciente de distanciar os outros, ou ainda de se poupar das intrigas

Rinite alérgica. É decorrente da união de um alérgeno do anticorpo específico na mucosa nasal, liberando substâncias que geram o aumento na produção de muco, inchaço da mucosa e vasodilatação. Clinicamente se observam obstrução, prurido e corrimento nasal, acompanhados de espirros, ronco e respiração bucal.

O principal alérgeno é o pó domiciliar. Raramente pelos de animais e esporos de fungos são desencadeadores de crises alérgicas. Fatores externos, como mudanças bruscas de temperatura, poluentes, fumo e álcool, são agressões da mucosa respiratória, podendo agravar o quadro. O mecanismo de hipersensibilidade a esses alérgenos resulta na liberação de substância que estimula a produção de anticorpos.

No âmbito metafísico, toda alergia está relacionada a um estado de alerta às situações que se relacionam ao fator alérgeno. No caso da rinite alérgica, revela-se uma mania de perseguição que desencadeia na pessoa um constante estado de alerta ao que pode acontecer à sua volta. Toda a sua capacidade para solucionar prováveis contratempos é negada. Desse modo, os conflitos internos sobrepõem seu poder de agir diante das situações, fazendo-a sentir-se impotente.

Algumas características de comportamentos que você vem alimentando intensificam sua vulnerabilidade à manifestação da rinite alérgica, tais como: manter suas emoções bloqueadas, não expressar livremente o que sente, ficar retraído perante os outros e agir contrariamente às suas ideias. Tudo isso acentua ainda mais a insegurança e o medo em relação ao futuro ou ao desfecho de uma situação.

SINUSITE

Profunda irritação com alguém bem próximo.
Decepção provocada pelas expectativas.

Processo inflamatório dos seios paranasais, que são cavidades nos ossos do crânio ao redor do nariz e que se comunicam com as fossas nasais. Em virtude dessa comunicação, as infecções e alergias das fossas nasais facilmente se propagam para os seios paranasais e vice-versa.

Os sintomas da sinusite são dor de cabeça logo acima do nariz e na região frontal, coriza, obstrução nasal, podendo haver também tosse, febre, irritação ocular e dor de garganta.

Segundo Jack M. Gwaltney, pesquisador da Universidade da Virgínia, nos Estados Unidos, "a sinusite não é uma complicação da gripe, mas uma parte integrante dela."

A causa metafísica da sinusite é uma grande irritação com alguma pessoa de seu convívio diário. O frequente contato com a mesma só aumenta a sensação de incômodo. Esse mal-estar ocorre devido ao comportamento que o outro apresenta, chegando esse fato ao ponto de provocar uma sinusite.

A ira é proveniente das expectativas feitas sobre aquela pessoa. É muito comum nutrirmos esperanças acerca de alguém. Quando não somos correspondidos, vem a decepção. Na medida em que formos realistas e encararmos a realidade, conseguiremos superar o choque e administrar as divergências, sem comprometer nosso estado de humor.

Em relação a algumas pessoas intimamente ligadas a nós, é difícil abandonar a carga de expectativas projetadas. Por exemplo, uma mãe que idealiza ver seu filho formado e bem-sucedido numa determinada carreira ficará revoltada se por algum motivo ele abandonar os estudos.

Na relação conjugal existem muitas expectativas sobre o parceiro. Durante a convivência, um vai se revelando para o outro. Nesse momento podem surgir as decepções. Geralmente quem mais se abala é aquele que levou para o relacionamento uma série de sonhos. Por causa das frustrações surge a indignação, que precede os casos de sinusite. Outra situação que pode desencadear as causas metafísicas da doença é a da criança que se decepciona com os pais. Com a queda do mito, ela se revolta e passa a conviver irritada.

Pode-se dizer então que a sinusite surge porque a pessoa não sabe trabalhar com as expectativas feitas sobre os outros. Na maioria dos casos, em vez de expressar de alguma forma o que sente, prefere omitir esses sentimentos, para se fazer de boa companheira. Já outras vivem falando, mas não são ouvidas; nesse caso ficam ainda mais irritadas por não receberem a devida atenção.

LARINGE

Seleção e discernimento entre ideias e fatos.

A laringe é um tubo formado por várias cartilagens que ligam a parte inferior da faringe com a traqueia. Dentre as funções da cartilagem da laringe destacam-se duas: "caixa da voz" e uma espécie de válvula localizada na epiglote.

A *epiglote* é uma cartilagem que está ligada à borda superior da laringe. Tem a forma de uma folha que age como uma espécie de dobradiça da porta de entrada da laringe. É movimentada pela contração dos músculos durante a deglutição, impedindo a passagem dos alimentos e líquidos para a traqueia. Há duas passagens na garganta: uma para os alimentos e líquidos e outra para o ar.

No âmbito metafísico, a função da epiglote está relacionada à habilidade em discernir entre o que você sente e o que os outros falam ou ainda, entre os fatos e as ideias insólitas. Isso significa achar que as coisas são de uma determinada forma e deparar com uma realidade totalmente diferente.

Quando os palpites dos outros interferirem em seus sentimentos, é que você não está suficientemente seguro em relação a eles. A falta de solidez interior o deixa vulnerável ao que vem de fora. É comum as pessoas fazerem expectativas. Isso as faz sentirem-se temporariamente confortáveis, mas é pura ilusão acionada para suavizar o desconforto provocado pela triste realidade. Quanto maior for a ilusão frente aos problemas, mais difícil fica para solucioná-los.

Torna-se complicado para a pessoa que se entrega aos devaneios selecionar o que são exageros de sua parte e o que é verdadeiramente correto. A dificuldade de discernimento entre os pensamentos e os fatos reflete na laringe, provocando o engasgo.

ENGASGO

Ser surpreendido por coisas que vêm atravessadas.

O sintoma mais frequente da perturbação no funcionamento da laringe ocorre quando você se engasga. Isso é provocado ao engolir os alimentos e até mesmo a saliva, que ao passar pela epiglote, que exerce a função de válvula, ela não se fecha totalmente, provocando o engasgo, que obstrui temporariamente a região da garganta.

Pode observar: no momento do engasgo, você viu ou ouviu algo que chocou e não houve nem tempo de selecionar direito as informações recebidas. São opiniões que surgem atravessadas e o deixam abalado. A perplexidade diante da situação provoca o desvio natural dos alimentos ingeridos. Em vez de seguirem para o esôfago, eles penetram indevidamente no interior da laringe, fazendo você engasgar.

Como é possível engasgar com a própria saliva? Quando isso ocorre, é que você foi surpreendido por pensamentos ou suposições totalmente contrárias ao que gostaria. Por exemplo, imaginar algo agradável e de repente vir à sua cabeça algum pensamento contrário, como "Não é nada disso", levando por terra tudo aquilo que você estava imaginando.

Só engasgamos quando não estamos seguros em relação ao que sentimos, porque, se estivéssemos, não nos incomodaríamos com o que os outros falam ou com algo que se mostra contrário à nossa vontade. Ficar abalado por qualquer motivo, mesmo que seja por alguns instantes, demonstra falta de apoio nos conteúdos interiores.

A dificuldade no discernimento é o fator metafísico que afeta as funções da laringe. Para ter um bom discernimento, é necessário saber distinguir o que você sente daquilo que os outros pensam; ter respeito próprio, firmeza de caráter e não se abalar pelas picuinhas que surgem por parte daqueles que o cercam.

VOZ

Via de expressão do ser.

A laringe é considerada o órgão da voz, pois, na mucosa que reveste a cartilagem da laringe, encontram-se as aberturas conhecidas como cordas vocais. A voz é produzida pela vibração causada nas cordas vocais durante a passagem do ar entre elas. Embora a língua, os lábios, os dentes e o palato contribuam bastante para modificar os sons, não são eles os responsáveis pela produção da voz. Isso se dá no interior da laringe, na caixa da voz.

A laringe correlaciona-se metafisicamente com a autoexpressão. Por ser também responsável pela verbalização, associa-se à nossa expressão na vida. Falar acerca do que sentimos ou pensamos favorece o bom funcionamento da laringe.

A palavra tem o poder de transformação, possibilita uma série de mudanças na vida da própria pessoa e daqueles que estão à sua volta. Por outro lado, a palavra pode tornar-se um meio de destruição, tanto de quem fala quanto de quem ouve. Às vezes, uma palavra é suficiente para enaltecer ou arrasar a pessoa.

A voz é o veículo de manifestação do ser, a porta de expressão dos sentimentos e a assinatura dos pensamentos.

A palavra é o compromisso que assumimos perante os outros. Embora o pensamento tenha uma considerável força, a palavra tem o poder realizador. Se for bem empregada, produz excelentes resultados na vida. É com ela que os homens se relacionam, fazem a história e mudam os hábitos.

Durante uma conversa, a pessoa se revela para os outros e tem a chance de descobrir mais sobre si mesma. Se prestássemos mais atenção no que falamos, descobriríamos sentimentos que permanecem obscuros à consciência. São coisas que não admitimos pensar a respeito, como nossa vaidade, orgulho, etc.; poderíamos até obter respostas que estamos procurando nas outras pessoas. Pode-se dizer que aquilo que tanto falamos aos outros é o que precisamos ouvir. Ao dar uma orientação a alguém, geralmente estamos apontando soluções para nossos próprios problemas. Assim, portanto, a voz é um agente que possibilita o autoconhecimento.

As características da voz apontam alguns aspectos metafísicos dignos de serem observados e reformulados a fim de se conquistarem a harmonia interior e o bem-estar.

Quem *fala muito* não se ouve. A necessidade de se ouvir faz com que a pessoa fale exageradamente. O assunto mais abordado é exatamente o que ela mais precisa ouvir.

Aquele que *se cala* sufoca sua voz interior. Resiste em admitir seus próprios sentimentos.

A *tonalidade da voz* reflete nossa condição emocional. O tom varia de acordo com o estado de humor:

Quando estamos motivados, a voz segue um compasso rítmico e harmonioso.

Quando estamos desanimados, a voz é "melosa".

Quando estamos bem-humorados e serenos, falamos pausadamente, numa altura suficiente para que os outros ouçam.

Quando estamos agitados e ansiosos, falamos rápido demais, atropelamos os outros na conversa e até mesmo as palavras que pronunciamos. Esse estado provoca também o aumento do volume da voz.

Falar alto demais demonstra agitação interior e anseio por ser ouvido pelos outros. Pessoas que têm esse comportamento não se ouvem nem prestam atenção em si mesmas, muito menos naqueles que estão ao seu redor. Se fossem mais atentas, perceberiam que a altura de sua voz estava quebrando a harmonia do ambiente. Quem fala muito alto não se sente integrado ao meio. O aumento do volume da voz se torna um mecanismo usado para se destacar e impor sua presença.

Já aqueles que *falam muito baixo*, como se falassem para dentro, são oprimidos. Sufocam seus sentimentos e não se expressam livremente.

Outro aspecto interessante da voz é o timbre. Existe timbre de voz agudo e grave. Em ambos pode-se observar importantes características da personalidade, apontados abaixo:

Voz aguda é um reflexo de imaturidade, comum na pré-adolescência, podendo estender-se para a fase adulta caso a pessoa não desenvolva a maturidade. Persiste em continuar se expressando como criança, demonstrando assim traços de personalidade infantil.

Voz grave reflete o amadurecimento da personalidade. É uma voz bem colocada, com força de expressão, normalmente pronunciada numa altura suficiente para ser ouvida. É característica das pessoas mais centradas em si, que não demonstram dificuldades em se colocar perante os outros.

A voz exageradamente grave demonstra um mecanismo de compensação. Falar grosso é querer exercer um poder "glutal", melhor dizendo, se impor verbalmente. É um mecanismo de compensação dos fatores de desigualdade, como a baixa estatura, sentimento de inferioridade, etc.

Mulheres com voz grossa sempre usaram esse recurso para impor sua autoridade, a exemplo de uma menina criada com vários irmãos que desde pequena precisou falar grosso para ser respeitada.

Existe um hormônio produzido pela glândula suprarrenal que regula o timbre da voz. Ele também é responsável pela formação de pelos no corpo. Assim, portanto, geralmente a mulher que tem o timbre de voz grosso apresenta maior quantidade de pelos no corpo.

Em suma, a liberdade de expressão é primordial para o bom funcionamento das cordas vocais.

As dificuldades de se expor geram acúmulo energético na região da garganta, produzindo uma sensação desagradável, popularmente conhecida como "nó na garganta". Caso esses bloqueios não sejam solucionados, provocam complicações na laringe. Uma pessoa vaidosa reprime seus sentimentos, e a primeira parte do corpo a ser afetada pelas emoções contidas são as cordas vocais.

DISFUNÇÕES DA FALA

Contenção dos impulsos.

Os problemas nas cordas vocais afetam as pessoas reprimidas, que castram seu direito de expressão. Não se sentem em condições de defender-se e de expor seu ponto de vista. Mostram-se tímidas, mas na verdade são oprimidas.

Por trás da aparente timidez existe uma grande dose de orgulho. A pessoa não se integra na situação, esconde-se atrás do silêncio. Evita se expor para não correr o risco de ser ridicularizada.

Dentre as dificuldades da fala, destacam-se a *gagueira, os calos nas cordas vocais, a perda temporária da voz* e *a rouquidão.*

GAGUEIRA

Incapacidade de falar por si.
Tolher-se na expressão.

A gagueira é de fundo puramente psicológico, geralmente causada por traumas emocionais.

A pessoa que gagueja não se solta nem é espontânea numa conversa, reprime seu fluxo de expressão. Não se sente em condições de falar e, quando o faz, é com muita dificuldade.

Uma das causas da gagueira é a omissão dos sentimentos, que provoca a inibição e o constrangimento perante os outros. É muito difícil para quem gagueja falar de si, daquilo que sente e tem vontade. Não expõe abertamente suas reais necessidades. Além de sua dificuldade em verbalizar, é também muito subjetivo, não vai direto ao assunto, faz rodeio para falar algo que lhe diz respeito.

A subjetividade origina-se no fato de o gago acreditar que os outros não irão compreender aquilo que deseja transmitir. Para ele, dizer uma só vez não é suficiente, precisa explicar bem para reforçar suas ideias. Essa atitude demonstra insegurança, que é característica de quem não confia plenamente em si e na capacidade de transmitir seu ponto de vista. No tocante ao tema abordado, a pessoa que gagueja pode até estar bem informada, mas vai gaguejar por falta de confiança em si mesma.

Quando uma pessoa não sabe muito bem sobre o tema a ser explanado, vai dar umas "arranhadas" na pronúncia. Já o gago tem dificuldade de se expressar sobre qualquer assunto, não por desconhecimento de causa, mas por não acreditar em sua força de expressão.

O mesmo não acontece quando o gago se põe a cantar. Nesse caso flui livremente pela música sem engasgar. Isso ocorre porque ao cantar ele não está transmitindo suas próprias ideias, mas sim uma composição musical que geralmente não é sua.

Ele possui baixa estima e depende do aval daqueles que o cercam. Dá mais importância ao que os outros vão pensar a seu respeito do que a seus sentimentos. Quando realiza algo, por melhor que faça, não se valoriza.

O gago alimenta um constante medo de não conseguir se expressar. Esse medo se torna um fantasma que o assombra durante toda a sua exposição. O medo não permite que a pessoa exponha seus impulsos naturais. Ele é uma das maiores agravantes da gagueira, causando tensão e ansiedade na hora de comunicar-se. A tensão e o medo são companheiros inseparáveis.

Conscientes de suas dificuldades na verbalização, ao serem requisitados para falar, sentem-se angustiados. A angústia é percebida pela sensação de aperto no peito que prende a garganta, sufocando a motivação pessoal. Sabe-se que a angústia é um medo social, através do qual a pessoa teme pela desaprovação dos outros. Esse é o maior receio do gago.

Quem gagueja tem muita dificuldade em assumir um posicionamento e responsabilidade nos negócios e no relacionamento afetivo. Vive em dúvida e confuso, não tem clareza e objetividade para decidir. Faz o possível para protelar as resoluções mais importantes de sua vida.

Está sempre se boicotando naquilo que gosta de fazer. Não consegue recusar um pedido dos outros. Quando está envolvido em seus afazeres e é solicitado por alguém, fica contrariado, mas, mesmo assim, abandona suas atividades porque não sabe dizer “não”. Nesse caso, sua dedicação é superficial, não se entrega de alma nas atividades alheias, faz por obrigação, porque não sabe negar. Em alguns momentos é solícito, em outros demonstra má vontade. No entanto, sua displicência para com as próprias coisas é constante. Sua atenção é voltada mais para fora do que para dentro de si.

A pessoa que gagueja reprime sua agressividade, é inibida e não consegue se impor com firmeza. O gago exige muito de si, não fala livremente o que lhe "vem à cabeça", pensa muito antes de se pronunciar. Quer mostrar-se correto e não admite cometer nenhuma falha. Isso é vaidade e orgulho. Nesse caso a gagueira se torna um mecanismo que favorece romper com esses sentimentos.

Para superar os problemas de gagueira é preciso sentir-se capaz de se manifestar para as pessoas, independentemente de como vai falar, quer gaguejando ou não. Agindo assim, a gagueira deixa de ser um obstáculo em sua comunicação, reduzindo-se à medida que vai se soltando e acreditando mais em si mesmo.

Quando completamos as palavras que o gago não consegue finalizar, não o estamos ajudando em seu processo. Ao contrário, isso só atrapalha. Faz sentir-se ainda mais inseguro e incapacitado. Não adianta falar por ele, é preciso deixá-lo superar suas próprias dificuldades.

CALOS NAS CORDAS VOCAIS

Revolta e aspereza na forma de falar.

O enrijecimento das cordas vocais reflete a postura interior de forçar a voz para impor autoridade, exercer o poder e dominar o assunto ou aqueles que estão ao seu redor. A insegurança ou falta de argumentação leva a pessoa a tentar ser persuasiva na comunicação forçando exageradamente a voz.

Essa condição também provoca a rigidez na maneira de falar, pronunciando palavras agressivas e reprimindo a ternura na expressão verbal. Quer fazer-se de "durão" para impressionar os outros e não demonstrar suas fraquezas.

A falta de firmeza interior ou de competência faz com que a pessoa tente impor respeito por meio da voz. Vale lembrar que o respeito é adquirido pela postura e não aos berros. Por isso, procure preservar uma boa condição emocional em lugar de forçar a expressão verbal para obter o poder e controle da situação.

A revolta e a indignação, quando expressas pela via oral, em forma de grosserias e estupidez, são um fator metafísico desencadeador da calosidade nessa região do corpo.

LARINGITE

Irritação por não conseguir manter sua força de expressão. Frustração por não falar o que pensa.

A laringite é um dos problemas mais comuns que ocorrem na laringe. Temos a laringite aguda e crônica.

A aguda está associada a infecções das vias aéreas superiores (resfriado comum), por ação de substâncias irritantes (cigarro e gases inalantes) ou, ainda, por uso excessivo da voz ou após forte traumatismo.

A crônica pode ser causada por episódios repetidos de laringite aguda, infecções crônicas das vias respiratórias (sinusites, amigdalites e bronquites), alergias e principalmente por uso abusivo e inadequado da voz e do cigarro.

Quando a laringite for secundária a alguma infecção crônica das vias aéreas superiores ou inferiores, isso representa que a causa orgânica da problemática interior é a mesma da doença originária (sinusite, bronquite, etc.). A condição metafísica que envolve a doença vem acompanhada da dificuldade de expressar verbalmente aquilo que sente. A pessoa fica enfurecida, mas não consegue falar sobre o problema e expor seus pontos de vista. Essa irritabilidade pode tanto provocar infecções nos brônquios ou nas fossas nasais quanto afetar a laringe, causando a laringite.

O uso exagerado da voz, que provoca a laringite, demonstra o desejo de liderança, sem bases interiores. Isso fez com que você forçasse as cordas vocais, falando demais e até gritando muito.

Tomemos como exemplo uma professora que é segura de si e se respeita. Ela não precisa gritar na sala de aula para impor respeito aos alunos. É claro que, se ela falar durante muito tempo, irá ficar com as cordas vocais cansadas. No entanto, isso não provoca nenhum dano. Por outro lado, se não tiver essa autoridade natural, digna de quem domina o assunto com firmeza e determinação, forçará tanto a voz que poderá contrair uma laringite.

Outro exemplo é o do torcedor, que grita muito durante o jogo, ou alguém que vai assistir a um show musical e canta muito alto. Eles praticamente *perdem a voz* por vários dias. Os exageros ocorrem por causa das frustrações e irritabilidade bloqueadas, que naquele momento são extravasadas. A irritabilidade do cotidiano recalcado, sendo expressa pela voz, provoca a inflamação na laringe, consequentemente a perda da voz.

Os principais sintomas da laringite, como a rouquidão, o pigarro e a coceira na garganta, apontam mais alguns aspectos metafísicos de nossa condição interna, quando afetada por essa doença.

A rouquidão demonstra a dificuldade da pessoa em defender suas ideias e objetivos, seguida do sentimento de inferioridade. Não fala o que precisa a quem interessa.

Além do sintoma da laringite, existem pessoas que são frequentemente roucas. Vejamos alguns aspectos metafísicos que causam essa disfunção da fala.

Elas costumam falar muito. Isso acontece porque consideram o outro numa posição de igualdade à sua. Entretanto, quando estão diante de alguém que julgam superior, se calam.

As pessoas roucas apresentam uma qualidade admirável: são eficientes no trabalho. Elas se esforçam ao máximo para mostrar por meio do serviço aquilo que não conseguem expor verbalmente.

O *pigarro* é uma sensação de incômodo nas cordas vocais. É mais um hábito do que um problema físico. Ele expressa a dificuldade da pessoa em dizer tudo que pensa, optando pela omissão porque acredita que não adianta falar. Provavelmente já deve ter tentado, mas não teve sucesso e até foi contestada. Julga ser em vão seu parecer. Por isso, mesmo descontente com o que se passa ao redor, se cala.

A *coceira na garganta* representa uma insatisfação por não ter falado tudo que pensava ou esperava.

Como podemos perceber, pouca diferença existe entre pigarro e coceira na garganta.

O padrão interno do pigarro refere-se às situações que se repetem com frequência. A pessoa vive incomodada com o que anda lhe acontecendo, e quase nada fala a respeito. Já a coceira na garganta surge com as situações corriqueiras, ou melhor, aspectos circunstanciais e momentâneos. Mesmo falando alguma coisa a respeito, não é o suficiente, restando-lhe a insatisfação de não ter dito tudo que sente.

BRÔNQUIOS

Relação entre o interno e o meio externo.
Interação harmoniosa com o ambiente.

Os dois brônquios primários derivam da bifurcação da traqueia e se ramificam em brônquios cada vez menos calibrosos, até chegarem aos bronquíolos e alvéolos, conduzindo assim o ar do meio externo para o interno.

Os brônquios são dutos por onde é absorvida a vida, que é representada pelo ar inspirado. Também por eles passam os conteúdos provenientes do interior do organismo, sendo, portanto, uma via de expressão da natureza íntima do ser no ambiente.

No âmbito metafísico, os brônquios correspondem às relações interpessoais e à interação harmoniosa entre o mundo interno e o meio externo.

De maneira informal, os brônquios são chamados de árvore brônquica. Essa relação exemplifica bem sua função. Comparando-os a uma árvore cujas extremidades das folhas estariam relacionadas com a região nasal e suas raízes com os bronquíolos, pode-se dizer que é no tronco de uma árvore que passam tanto os elementos extraídos pelas raízes quanto aqueles absorvidos pelas folhas.

Uma árvore se torna forte quando há uma boa absorção dos raios luminosos e do dióxido de carbono, que é realizada pelas folhas. No organismo, esse processo estaria relacionado com o ar inspirado. Os elementos vitais absorvidos pelas raízes da árvore são distribuídos até as folhas, passando pelo tronco. Analogamente, as sensações produzidas no interior do indivíduo são externalizadas para o ambiente, passando pelos brônquios.

Os brônquios representam o sincronismo entre as emoções e os pensamentos, que modelam a expressão dos desejos e vontades. A maneira como você aprendeu a lidar com as situações do ambiente e seu comportamento influencia as funções brônquicas.

Quem tem habilidade de conviver harmoniosamente, acatando os fatores externos e se integrando ao ambiente, é bem-sucedido nas relações interpessoais. Sabe o momento certo de intervir e como o fazer, e consequentemente mantém as funções brônquicas saudáveis.

Aqueles que não conseguem manter o equilíbrio, por não serem receptíveis nem expressivos, poderão apresentar comprometimentos nos brônquios. A relação problemática não significa apenas ser reprimido. Inclui também os comportamentos exagerados, com o propósito de chamar a atenção dos outros.

BRONQUITE

Dificuldade de relacionar-se com o ambiente.
Sentir-se agredido
e não saber como se expressar.
Ter necessidade de chamar a atenção,
isolar-se ou fazer chantagem.

A inflamação dos brônquios revela um estado emocional de desconforto e irritabilidade acerca do que se passa ao redor. Essa condição é desencadeada pela falta de habilidade em lidar com os fatores internos frente às situações.

Quem tem seus brônquios inflamados geralmente vive num ambiente tumultuado, com atritos e discussões, ou num silêncio demasiado, em que não há diálogo entre as pessoas. Ambos os casos podem causar medo de se expressar e ser tratado com estupidez ou com indiferença. Em virtude disso, algumas pessoas afetadas pela bronquite preferem se isolar e permanecer caladas; outras recorrem ao exibicionismo para chamar a atenção; existem, ainda, aquelas que se revoltam e se tornam rebeldes.

No caso de crianças, anseiam serem aceitas pelos pais. Sentem-se inadequadas e têm necessidade de aprovação. Isso faz com que fiquem o tempo todo querendo agradá-los. Como não são hábeis para se expor, exageram no comportamento, acabando por serem mal interpretadas e em muitos casos reprimidas.

Quem sofre de bronquite não expressa aquilo que sente, está sempre procurando um jeito certo para se colocar. Costuma sufocar sua essência para agradar os outros. De uma maneira ou de outra, "força a barra" para se relacionar com as pessoas e não age com naturalidade.

Existem aspectos específicos a serem considerados para os casos agudos e crônicos.

Bronquite aguda é uma inflamação da mucosa brônquica que se desenvolve durante ou após um resfriado comum ou outras infecções geralmente virais das vias aéreas superiores. Quando os brônquios se inflamam, instala-se uma tosse inicialmente seca e posteriormente muco-purulenta, com sensações ásperas na parte superior do peito e, ocasionalmente, falta de ar e chiado no peito.

A característica básica da postura interna que somatiza a bronquite aguda corresponde a uma fase que a família está atravessando. Nesse período, a pessoa fica abalada com a situação, sentindo-se agredida pelo que está acontecendo. Trata-se de uma situação nova em sua vida, que, por não saber lidar bem com ela, se torna confusa. Vejamos alguns exemplos que podem desencadear esse quadro em você: o processo de separação dos pais, a presença de alguém que vem morar em sua casa e passa a ser o centro das atenções, comprometendo a harmonia do ambiente.

Raramente a problemática está relacionada com o ambiente de trabalho, porém em alguns casos é nesse campo que repousa a confusão interior. Assim sendo, os acontecimentos que provocam a manifestação da bronquite aguda podem ser: uma ameaça de ser mandado embora, um risco de falência da empresa ou, ainda, a contratação de alguém para trabalhar em seu departamento que, de certa forma, representa uma ameaça ao seu emprego ou à harmonia do ambiente de trabalho.

À medida que se resgata a ordem interior e se conquista a harmonia no ambiente, a manifestação da bronquite aguda deixa de existir.

Sobre os sintomas da bronquite aguda, convém salientar que a aspereza da relação entre as pessoas de seu meio se manifesta na forma de sensações ásperas na parte superior do peito. A tosse demonstra que existe algo profundamente arraigado a ser expresso. Na medida em que a pessoa se propõe a falar a respeito, isso gera condições metafísicas para suavizar os sintomas.

Bronquite crônica é uma inflamação brônquica de longa duração, com tosse persistente e expectoração durante pelo menos três meses consecutivos.

Os casos crônicos estão relacionados com a persistência na problemática interior que foi apresentada anteriormente. Melhor dizendo, criaram-se vícios de comportamento, e a pessoa insiste em agir de maneira indevida. Ela não consegue resolver sua dificuldade de lidar com o ambiente. Frequentemente depara com estupidez ou indiferença e ainda não sabe como se posicionar. Mesmo assim, não desiste de ser considerada pelos outros ou de ser o centro das atenções.

Será que adianta insistir nisso? Que tal desistir? É isso mesmo! Deixar todo mundo de lado e se ocupar mais com você mesmo, dar mais importância a suas próprias coisas. A sugestão é que você dê mais atenção a si do que aos outros.

A autovalorização e o amor-próprio são fatores determinantes para se obter o reequilíbrio interior.

Dê mais importância ao que você sente do que ao que os outros podem falar ou pensar a seu respeito. Apoie-se, para não depender da aprovação de ninguém. Não é se anulando que isso o fará integrar-se ao ambiente. Valorize seu jeito de ser. Seja a todo instante, e cada vez mais, você mesmo.

ASMA BRÔNQUICA

Sentimento de inferioridade disfarçado pelo desejo de poder e controle do ambiente.

Trata-se de doença crônica pulmonar, caracterizada por hiper-reatividades brônquicas, levando à obstrução das vias respiratórias. A asma é reversível, espontaneamente ou após um tratamento. A crise de asma manifesta-se com tosse, chiado no peito e falta de ar. Pode ser desencadeada por alérgenos, infecções virais, exercício físico, emoções, poluentes, fumo e alterações bruscas de temperatura.

A asma é geralmente causada pela sensibilidade às substâncias alérgicas, difíceis de serem identificadas. Acredita-se que o espasmo brônquico representa uma resposta alérgica à exposição direta ao alérgeno inalado ou ingerido.

Conforme estatísticas publicadas no *Manual Merck de Medicina*, em 10% a 20% dos asmáticos, a crise é precipitada por alérgenos, mais comumente pólens transportados pelo ar, poeira doméstica, pelos de animais e outros anexos animais; em outros 30% a 50%, parece ser deflagrada por fatores não-alérgicos, como infecção, odores irritantes, tais como tinta fresca, gasolina, ar frio, fumo, etc., e fatores emocionais.

Desde o tempo de Hipócrates comentava-se que existia a associação entre problemas emocionais e a precipitação de ataques asmáticos. A relação dos fatores emocionais como agravantes de alguns casos de crises asmáticas é comprovada pela psicologia, que possui hoje muitos casos registrados, nos quais os ataques foram iniciados mais por acontecimentos do que pela presença de um antígeno específico.

O relato mais conhecido é chamado "asma das rosas", em que o paciente entra em crise sempre que estiver diante de rosas. A crise surge também quando lhe apresentam uma rosa artificial. Outros casos relatados de precipitação dos ataques asmáticos são aqueles que ocorrem em uma hora regular do dia, quando a pessoa ouve uma certa música ou fala de um determinado assunto.

Outra situação que pode provocar uma crise na pessoa é quando acontece algo que lhe causa muita alegria, num impulso espontâneo em que ela exterioriza a alegria por meio do riso. Nesse momento pode surgir uma crise, pois a dificuldade do asmático consiste na exteriorização do sentimento. Ele não permite se expor abertamente, e, quando o faz, imediatamente se reprime, voltando a se fechar. Esse mecanismo interior aciona a crise asmática.

A crise caracteriza-se por uma contração dos brônquios menores e bronquíolos (pequenos condutos pelos quais o ar penetra nos pulmões), desprovendo assim de oxigênio, em quantidades apropriadas. O asmático faz força para inspirar profundamente, e a expiração é mais difícil e prolongada, por causa do bloqueio das vias respiratórias.

Quem sofre de asma tenta receber atenção e afeto em demasia, por isso inspira com força e absorve tanto ar que os pulmões ficam demasiadamente inflados. A crise é provocada na eliminação do ar. Esse mecanismo orgânico dá a sensação de estar expondo seus conteúdos internos, que são muito diferentes daquilo que tenta mostrar aos outros. O asmático quer absorver tudo e não expelir nada, e isso causa a sensação de asfixia, consequentemente o espasmo brônquico. Metafisicamente, ele anseia por amor e não consegue ser amável.

A relação do asmático com as pessoas de seu convívio costuma ser complicada, porque sua atitude fere os princípios de um relacionamento saudável, em que é preciso haver a troca. A própria vida requer constante troca com o ambiente, por meio do ar que é inspirado e exalado a todo instante. O mesmo é necessário haver nas relações humanas. É justamente nesse ponto que repousa a maior complicação do asmático: ele só quer receber, sem nada fazer em troca. Exige que seus entes queridos façam tudo por ele.

Toda vez que um asmático considerar que não está recebendo atenção suficiente, ele se isola. Por mais que seus familiares façam alguma coisa por ele, nunca o satisfazem, espera receber sempre mais. A contração brônquica, que precipita a crise asmática, é o reflexo do estado de isolamento. Com a oclusão dos brônquios não há interação do ser com o meio.

Diferentemente do que aparenta, o asmático não expõe seus verdadeiros sentimentos. Mostra ser uma pessoa comunicativa e às vezes até sentimental, com o propósito de chamar a atenção e impressionar os outros. Seus sentimentos, como inferioridade, inadequação, etc., não são revelados para ninguém. Geralmente, nem ele mesmo tem consciência dessa condição de inferioridade que existe em seu íntimo. Ele não assume seus pontos fracos para si, tampouco para os outros; ao contrário, procura mostrar-se superior.

Sua vida não é conduzida de acordo com seus próprios valores. Molda-se de acordo com a dinâmica do ambiente, adotando comportamentos bem conceituados, para ser reconhecido. Agindo assim, está considerando mais os outros do que a si mesmo. Quando uma pessoa estiver querendo chamar a atenção de todos que estão à sua volta, é que a opinião deles é mais importante do que aquilo que ela está sentindo. Para manter a harmonia interior é necessário dar credibilidade a seus sentimentos e não depender do aval dos outros.

A asma é caracterizada metafisicamente por um conflito entre o sentimento e o desejo. O asmático se sente inferior e deseja ser o centro das atenções da família.

Desse modo, conclui-se que o comportamento adotado pelo asmático para se promover não passa de um disfarce para esconder seu sentimento de inferioridade.

O sentimento de inferioridade seguido do egocentrismo atrai para si pessoas dominadoras, que passam a controlar sua vida. O asmático quer a todo custo dominar os outros. Se ele não consegue, ou se for dominado por alguém, isso o deixa "arrasado", podendo até precipitar frequentes crises.

Quando não consegue exercer poder sobre o ambiente, utiliza-se das crises para chamar a atenção de seus familiares. Ele põe em risco a saúde para ser o centro das atenções, tirando proveito da própria ruína. Obviamente, esse é um mecanismo inconsciente.

A doença requer cuidados especiais das pessoas ao redor. É necessário afastar os animais de estimação, remover o pó, manter a casa limpa e higienizada, tudo para evitar que ele entre em crise. Mediante esses cuidados a favor do bem-estar do asmático, ele monopoliza a atenção daqueles que o cercam, exercendo assim, uma espécie de controle sobre o ambiente.

A asma é mais comum em crianças. É nessa fase que se busca uma maneira de lidar com as próprias sensações e conquistar seu espaço no ambiente. Como o mundo da criança gira em torno da família, esta representa seu maior valor afetivo. Assim, portanto, a problemática interior do asmático está mais frequente no lar. Se a condição metafísica for específica aos familiares, os mesmos fatores alérgicos que dentro de sua casa provocam crises de asma, quando inalados em outros recintos não afetam tanto.

Quando a asma se estende à adolescência e até à fase adulta, isso representa que a pessoa não se resolveu interiormente, arrastando para o convívio social seu sentimento de inferioridade. Nesse caso, a inalação dos fatores alérgicos em qualquer ambiente provocará a mesma reação da doença alérgica.

É difícil para um asmático admitir a si mesmo sua condição emocional de inferioridade. O mecanismo de compensação é acionado porque ele não aceita sua verdade interior. Prefere fugir disso, conquistando à sua volta uma situação contrária. Por mais que se sobressaia perante os outros, não resolve aquilo que traz dentro de si. É preciso encarar sua realidade, desenvolver a autoestima. Não dê tanta importância aos outros, senão você se torna dependente deles e isso dificulta o fortalecimento interior e o faz sentir-se pior ainda.

PULMÕES

Órgãos de contato e relacionamento com a vida e o ambiente.

Os dois pulmões, direito e esquerdo, são os principais órgãos da respiração.

Em seu interior encontram-se os alvéolos, que realizam as trocas gasosas: parte do oxigênio inspirado passa para a corrente sanguínea, e o gás carbônico trazido pelo sangue é eliminado.

No âmbito metafísico, os pulmões são considerados órgãos da vida, que possibilitam o contato do ser com o ambiente. Eles refletem nossa capacidade de absorver o que existe ao redor, bem como nossa exteriorização. Refere-se ao processo de troca, ao ato de dar e receber.

A saúde pulmonar depende da predisposição à vida, do firme propósito de existir, da vontade de interagir com o ambiente e da habilidade em manter as relações interpessoais.

A negação da vida dificulta o processo de absorção do oxigênio. Aquilo que temos para ser expresso manifesta-se nas paredes pulmonares estimulando o mecanismo de expiração. Os bloqueios na exteriorização dos conteúdos internos podem provocar alterações no mecanismo natural da troca gasosa.

As doenças pulmonares são as principais causas da morte da maioria das pessoas que desistem de viver, quer seja por causa de uma doença incurável quer seja por uma grande desilusão.

Os pulmões e a pele são considerados órgãos de contato com a vida e relacionamentos interpessoais. A superfície interna das paredes pulmonares mede aproximadamente setenta metros quadrados, ao passo que a pele chega a medir no máximo dois metros quadrados e meio.

As diferenças entre o tipo de contato que estão relacionadas a esses dois órgãos são as seguintes: o contato da pele é direto, palpável e depende de nossa vontade; melhor dizendo, podemos escolher o que tocar e por quem ser tocados. Já o contato estabelecido por meio dos pulmões é indireto e sutil, porém inevitável. Mesmo não suportando uma pessoa, respiramos o mesmo ar que ela.

A recusa em admitir as circunstâncias em que nos encontramos causa-nos falta de ar ou espasmos durante a respiração, como acontece na asma.

Por serem órgãos afins no que se refere à concepção metafísica, podem ocorrer sintomas em um deles que, ao serem tratados, se manifestam no outro. É uma espécie de alternância de sintomas, com o mesmo fundo emocional. Em uma pessoa que tem algum tipo de alergia respiratória, por exemplo, depois de tratada, sem alterar o padrão, a alergia pode se manifestar na pele, ou vice-versa.

O receio de se envolver com as situações da vida e de dar os primeiros passos rumo à liberdade e à independência pode afetar as funções pulmonares.

O medo do desconhecido, de receber um não, a dificuldade de se expor e a recusa em absorver plenamente a vida são fatores emocionais geradores de complicações pulmonares.

Aqueles que se mantêm abertos à vida e dispostos a viver e a se relacionar com as mais diversas situações do cotidiano mantêm os pulmões saudáveis.

PNEUMONIA

Cansaço da vida.

Irritação por ter se doado muito aos outros sem haver a troca.

É um processo inflamatório, geralmente agudo, comprometendo os alvéolos, os bronquíolos e os espaços dos tecidos pulmonares. Pode ser originada por bactérias, vírus, fungos ou parasitas.

Nos adultos é mais frequente a pneumonia bacteriana, causada pelo pneumococo. Nas crianças predomina a de origem viral.

A doença começa com uma infecção nos brônquios e nos alvéolos, afetando uma parte dos pulmões. Na pneumonia, o gás carbônico é eliminado adequadamente, mas o oxigênio diminui sua concentração no sangue.

A pneumonia reflete um estado interior de cansaço da vida, causado por ferimentos, decepções ou preocupações excessivas, que levam a pessoa ao desespero seguido de desânimo.

Metafisicamente, a pessoa fica vulnerável a contrair a pneumonia quando perde o prazer e o entusiasmo pela vida e se sente desanimada. A doença representa a somatização do estado de apatia, provocando no corpo a redução do oxigênio na corrente sanguínea.

O que leva alguém a desanimar-se tão profundamente a ponto de somatizar a pneumonia? Geralmente a desilusão com alguém muito importante em sua vida afetiva: um pai que se decepciona com o filho, decepção conjugal, etc.; ou, ainda, cansar-se de lutar em vão, sem conseguir resolver a situação. Problemas dessa ordem podem levá-lo a esgotar suas forças e perder a vontade de viver.

Vale lembrar que a desilusão é a visita da verdade. Toda vez que você se decepciona, é que estava iludido. Esperava tanto de alguém e se surpreendeu com o fato de que aquela pessoa não é como você imaginava que fosse.

Existe outro fator interno que é a principal agravante dessa perda de interesse pela vida: é o fato de você considerar ter feito tanto pelos outros e nada ter recebido em troca. O que provoca isso é a mania de ser prestativo e generoso. Enquanto você se incumbe de realizar quase todas as tarefas, os outros permanecem acomodados.

Desse modo, seu relacionamento com os familiares torna-se uma "via de mão única", vai e não volta, ou seja, você faz tudo por eles sem receber nada em troca. Essa postura gera profunda irritabilidade, chegando ao ponto de não suportar mais a situação, que no fundo você mesmo criou.

Isso pode acontecer até com uma criança. Na cabeça dela, tudo que precisa ser feito recai sobre si, ninguém faz nada em casa. Só porque ela vai à padaria ou desempenha alguma atividade em benefício do lar, pensa que só ela faz tudo e os outros não fazem nada. Enquanto a criança estiver encarando a situação dessa forma, se alguém lhe pedir algo, ela responderá: "Tudo eu!"

Isso demonstra sua irritação com as solicitações, porque ela está se sentindo explorada. Até esse momento, sua condição interna não seria suficiente para contrair a pneumonia, mas já é um passo. Caso venha a sofrer uma decepção qualquer, pode achar que fez demais e não foi reconhecida. Isso desanima e provoca a complicação emocional da doença.

Outro exemplo é de uma dona de casa que se desdobra para atender às necessidades da família. Ela chega ao ponto de pensar: "O que seria deles se não fosse eu aqui". Quando sofrer alguma decepção com um ente querido, poderá desenvolver o padrão metafísico da pneumonia.

Toda essa abordagem nos leva a compreender que, quando executamos alguma tarefa no lar ou no trabalho, devemos fazê-la com prazer, porque, além de nos beneficiarmos, estaremos também facilitando a vida de alguém que nos é querido, ou contribuindo em prol de um objetivo.

Não podemos nos empenhar visando apenas os resultados compensadores. Os conteúdos de toda experiência são sempre uma lição. Se os resultados forem bons, nos motivarão a seguir naquela direção; caso contrário, sinalizam que devemos mudar a postura e seguir para outra direção. Pode-se dizer que os bons ou maus resultados são uma espécie de sensor que norteia nosso fluxo pela vida.

Ter um senso de autovalor evita tornarmo-nos dependentes da consideração dos outros, pois isso nos leva a cometer exageros no empenho e dedicação a eles ou aos afazeres, acabando por provocar um grande desgaste e um profundo desânimo quando não nos sentirmos recompensados.

ENFISEMA PULMONAR

Medo e negação da vida.
Dificuldade de encarar os obstáculos.

O enfisema pulmonar representa uma condição especial dos pulmões, caracterizada por um aumento anormal dos espaços alveolares posteriores aos bronquíolos terminais, com alterações destrutivas de suas paredes.

Existem várias causas orgânicas para o enfisema, entre elas processos infecciosos, fumo e lesões congênitas.

Essa doença ocorre com mais frequência nos fumantes. O tabagismo deixa as paredes brônquicas estreitadas pelo aumento no número de células e secreção da mucosa. Tais condições aumentam a vulnerabilidade à infecção, bem como a probabilidade de obstrução das vias respiratórias.

Os aspectos metafísicos que envolvem o enfisema pulmonar estão relacionados à dificuldade de absorção da vida. A pessoa não se assume nem se posiciona frente às circunstâncias externas.

Tudo que foge ao estabelecido ou à dinâmica normal da convivência deixa-a apavorada. Ela não tem habilidade de lidar com o inesperado, procura se esquivar dos obstáculos. Sente-se frágil e desprotegida, e por isso tem medo de acolher o que vem de fora e resiste às mudanças.

Essa mesma condição interna leva a pessoa a adotar o tabagismo, tornando-se viciada em cigarro. Sendo ele apresentado como o principal agente físico desencadeador do enfisema pulmonar, convém compreender melhor os padrões interiores que mantêm esse vício.

A principal causa emocional do tabagismo é o medo ou negação da vida. O fumante encontra, na sutileza da fumaça expelida pelo cigarro, uma leve sugestão de proteção. É como se houvesse um escudo separando a pessoa dos episódios desagradáveis e de certas presenças ameaçadoras. A fumaça do cigarro suavemente distorce a forte expressão fisionômica dos outros.

O fumo é responsável pelo aumento da suscetibilidade a qualquer doença infecciosa das paredes pulmonares. Na concepção metafísica, os processos infecciosos estão relacionados às interferências externas no mundo interno. Assim sendo, o fumante sente-se indefeso e, por isso, se abala facilmente com os episódios desagradáveis da vida. Ele não consegue manter sua integridade emocional, consequentemente torna-se vulnerável às afecções pulmonares, em especial o enfisema.

O vício de fumar não é mantido apenas pela dependência orgânica da nicotina, mas principalmente pela condição interna de negação e medo da vida. Uma vez resolvidos esses fatores emocionais que mantêm a pessoa dependente do cigarro, será fácil para ela parar de fumar.

Existem algumas pessoas que usam o cigarro apenas como fonte de prazer. Nesses casos, o organismo encontra maneiras de reparar a agressão provocada pelo tabagismo. É o que acontece com alguns fumantes que não apresentam nenhuma doença provocada pelo cigarro. Isso é possível devido à capacidade regenerativa do organismo, que é estimulada pelas energias produzidas pelo prazer. Tudo que nos proporciona satisfação aumenta o sabor pela vida.

Quem estiver bem resolvido interiormente e se utiliza do cigarro o faz moderadamente. Caso venha a perceber que seu hábito está comprometendo sua saúde, a pessoa consegue parar de fumar com facilidade.

Raramente encontramos um fumante nessas condições, porque alguém que vive bem e se sente integrado à vida dificilmente mantém hábitos que possam causar prejuízos à sua saúde.

A maioria dos fumantes apresenta fragilidade interior. O vício não é o aspecto causal, mas sim o efeito de uma condição interna abalada. Por isso, mais importante do que combatê-lo é trabalhar as causas. Fortalecer o indivíduo, desenvolver a segurança, prepará-lo para os desafios da vida. Desse modo, estaremos dando condições para que a pessoa se encoraje para viver, abra-se para a realidade e sinta-se disposta a encarar a verdade sem distorcer os fatos.

Essa atitude tanto é saudável para os pulmões, afetados pelo enfisema, quanto para preparar o indivíduo a não depender do cigarro para viver.

EDEMA PULMONAR

Apego emocional seguido de desmotivação e perda da vontade de viver.

Edema pulmonar significa excessiva quantidade de líquido nos espaços dos tecidos pulmonares e nos alvéolos. Existem vários fatores orgânicos apontados como causas do edema. Dentre eles se destacam: infecções pulmonares, insuficiência renal, desnutrição grave e insuficiência cardíaca do lado esquerdo, que provoca o acúmulo do sangue nos vasos pulmonares, possibilitando a passagem de líquido para os tecidos pulmonares e posteriormente para os alvéolos.

A causa metafísica do edema pulmonar está relacionada a um apego emocional, seguido de uma decepção muito forte ou até mesmo da perda de algo ou alguém que representa sua razão de viver.

Ao longo da vida vamos nos apegando às pessoas às quais somos ligados afetivamente. Em alguns casos isso ocorre com o trabalho ou com os bens adquiridos. Passamos a viver principalmente em função dos outros e deixamos de fluir livremente. Perdemos também a motivação para os outros aspectos da vida. Tudo passa a girar em torno daquele que se tornou o significado de nossa existência. Todos os nossos objetivos ficam atrelados ao personagem principal de nossa convivência. Isso restringe nossa ampla capacidade de realização e nos mantém dependentes do outro.

Lutamos para preservá-lo quando por algum motivo estivermos sendo ameaçados de perder aquele que se tornou o significado de nossa vida. Desse modo, sufocamos a pessoa. Em se tratando de bens materiais, nós os superprotegemos. Caso nossos recursos se esgotem ou sejamos acometidos por uma fatalidade — por exemplo, a morte da pessoa, a falência da empresa ou ainda a perda dos bens —, nada mais terá sentido para nós. Perdemos o interesse por tudo, não há motivação para nada.

Mediante isso, a pessoa entra num quadro depressivo que leva à autodestruição. São condições dessa ordem que comprometem as funções pulmonares e cardíacas.

A atitude de prender as emoções e não deixar fluir impede que você se liberte para seguir seu curso natural pela vida.

O apego é altamente prejudicial para você e para o outro. Ele causa dependências que comprometem a trajetória daquele que permaneceu do seu lado durante um período da existência, bem como a continuação da vida na ausência do parceiro. Libertar-se é fundamental para renovar o curso da experiência, para manter a motivação e preservar a saúde pulmonar.

TUBERCULOSE

Crueldade e desejo de vingança sufocado.

Nesta doença, o bacilo da tuberculose invade os pulmões produzindo uma reação do tecido local. O invasor é neutralizado pelas células de defesa do corpo, porém não é eliminado, permanecendo agregado nas paredes pulmonares. Os bacilos, após serem neutralizados, são revestidos por um tecido fibroso com calcificação, formando os tubérculos ou nódulos, que provocam a infecção primária.

Nos estágios mais avançados, a infecção progride pela presença de outros bacilos, resultando em mais áreas fibrosas e até em formação de cavidades no pulmão.

A fibrose aumenta a espessura das membranas pulmonares, diminuindo assim a capacidade de difusão pulmonar, provocando baixa capacidade vital do indivíduo.

As causas metafísicas da tuberculose são o apego às grandes decepções da vida. Os ferimentos dos relacionamentos passados geram marcas que são projetadas nos relacionamentos presentes. Esses conteúdos emocionais nocivos desenvolvem comportamentos de frieza e rigidez para consigo e com as pessoas ao redor.

Ao longo da existência, todos vivenciamos experiências desagradáveis. Se não conseguimos nos desvencilhar dos sofrimentos, ficamos rancorosos e amargos para lidar com as situações presentes. Perdemos a amabilidade e a docilidade que tínhamos outrora.

O que leva uma pessoa a manter-se presa aos sofrimentos da vida é a revolta que não foi expressa na ocasião e a indignação de ter se sentido traída ou vitimada pelas ocorrências. Atribuímos aos outros a total responsabilidade de nossas desditas, não consideramos nossa conivência com tudo que houve. Isso pode gerar uma crueldade ou desejo de vingança que vai invadindo nosso ser.

As lembranças amargas do passado permanecem vivas dentro da pessoa à medida que ela lembra os fatos ocorridos. Pode-se dizer que o passado é como um videoteipe: cada vez que recordamos, revivemos todas as sensações desagradáveis daquela ocasião.

Para que uma situação atinja a pessoa tão profundamente, é que existem traços de personalidade de egoísmo, orgulho e possessão. Ela não admite ser enganada ou passada para trás, isso acentua sua mágoa. Desse modo, ela constitui suas defesas no sentido de manter armazenado em si tudo aquilo que lhe faz mal, para que numa ocasião oportuna possa "ir à forra".

Esse padrão de comportamento assemelha-se à maneira com que as células do organismo agem para combater a agressão dos bacilos, envolvendo e armazenando-os nos tecidos pulmonares. Não se desvencilhar dos sofrimentos do passado vai minando a motivação de viver no presente.

Procure não guardar tantas lembranças e recordações do passado. É comum encontrar na casa de alguém tuberculoso uma série de pertences e fotos que tiveram um grande significado. É claro que são recordações boas, porém quem guarda as boas lembranças também não se desprende dos acontecimentos ruins.

O que é bom fica em evidência e o que é ruim permanece camuflado ou "inconscientizado". Desprender-se do passado e dedicar-se ao presente é resolver a causa metafísica da tuberculose

FENÔMENOS RESPIRATÓRIOS

TOSSE

Repressão dos impulsos agressivos e desejo de atacar.

A tosse é um reflexo de defesa para desobstruir as vias aéreas inferiores. É uma espécie de explosão que expele qualquer material estranho e muco agregados às vias respiratórias.

O ato de tossir está relacionado ao desejo inconsciente de eliminar as crenças e valores absorvidos ao longo da vida que provocam os conflitos internos. Ela surge normalmente como um sintoma de alguma doença respiratória, representando a necessidade de se desprender da confusão interior e o desejo de revidar as agressões sofridas que permaneceram reprimidas.

A manifestação desse sintoma demonstra que a pessoa está "explodindo" por dentro. Como essa explosão não é verbalizada, ela se manifesta em forma de tosse.

À medida que a pessoa for se desvencilhando desses conteúdos agregados interiormente, a tosse ameniza. Quando ela persistir, é porque a pessoa está resistindo em se desprender daquilo que a incomoda profundamente.

Aqueles que estão dispostos a se renovar adotam uma postura que favorece a liberação dos conteúdos nocivos e consequentemente abreviam a manifestação do sintoma da tosse.

ESPIRRO

Impulso de defesa contra ideias ou energias negativas.

O espirro pode ser descrito como uma espécie de tosse, que ocorre nas vias respiratórias superiores. Ele tem a finalidade de limpar a passagem do ar na região do nariz.

Essa região é sensível à identificação das substâncias absorvidas pelo ar. O organismo reage prontamente às invasões de vírus, bactérias e resíduos inalados. A primeira reação orgânica a essas interferências é o espirro.

Do mesmo modo, quando você está diante de pessoas negativas, e essas energias nocivas começam a envolvê-lo provocando um desconforto, ocorre uma predisposição metafísica ao espirro. Como o ponto de vista dos outros é completamente contrário ao seu e pode causar confusão interior, o sistema de defesa reage para expulsar essa sensação desagradável por meio do espirro.

Assim, portanto, o ato de espirrar representa um mecanismo de defesa, não somente de substâncias inaladas mas também contra ideias, conceitos ou energias negativas que nos afetam, oriundas do ambiente, de nossa própria mente, das esferas extrafísicas ou do mundo espiritual.

Vamos compreender melhor cada um desses aspectos que nos afetam energeticamente.

No tocante às forças nocivas que procedem do ambiente, elas partem da matéria ao redor. Nos objetos são impregnadas as energias dos acontecimentos que os envolveram. Nosso contato com eles pode acionar o espirro. Nesse caso, o corpo sinaliza que estamos sendo envolvidos pelas forças negativas. Uma circunstância que expressa isso ocorre quando estamos mexendo em peças antigas ou em papéis velhos, e somos acometidos por espirros. Se não tivermos um histórico de alergia a pó, prevalece a causa metafísica desse sintoma: é a repulsa às energias existentes naquele material.

O mesmo ocorre se estivermos sendo bombardeados pelos pensamentos dos outros com intenções destrutivas, ou, como são conhecidos popularmente, "olho gordo" e "mau-olhado". Quando isso acontece, acionamos nosso mecanismo de defesa e subitamente começamos a espirrar. Mesmo não tomando consciência desse ataque energético, nossa reação defensiva é acionada pelos níveis inconscientes.

O espirro pode ser acionado também por nossa própria mente. Ao imaginarmos situações negativas e começarmos a ser contagiados por elas, o organismo pode reagir com espirros. Infelizmente, o corpo não avisa todas as vezes que entramos nas ondas de negatividade. Se fosse assim, espirraríamos com mais frequência e não cultivaríamos pensamentos nocivos por tanto tempo.

Por fim, existem as interferências energéticas provenientes da esfera extrafísica. Estas afetam mais as pessoas que têm uma sensibilidade aguçada. Elas podem manifestar crises de espirros quando estão sendo assediadas por entidades espirituais maléficas. Assim que essas forças invadirem sua aura, suas defesas energéticas são acionadas e o corpo pode responder em forma de espirro, demonstrando a repulsa pelo que está captando.

Como podemos perceber, são tantas as condições metafísicas que levam a uma crise aguda de espirro que se torna difícil identificar a procedência dos conteúdos negativos que estão nos atingindo na hora do espirro. Assim, portanto, se você tiver vontade de espirrar, faça uso desse impulso físico, espirre, para intensificar o propósito de eliminar a negatividade.

Algumas pessoas têm o hábito de segurar o espirro. Isso revela uma dificuldade de se posicionar a seu favor. Quando estão sendo criticadas, elas não conseguem revidar as acusações, ficam caladas. De certa forma a educação formal induz esse comportamento. Ser sincero, falar as verdades, defender-se prontamente não são procedimentos simpáticos ao formalismo.

Para manter a saúde e o bem-estar é necessário administrar seus impulsos e não os reprimir.

BOCEJO

Mobilização orgânica para refazer-se do desgaste físico ou da perda energética. Desprendimento da negatividade agregada.

O bocejo aumenta a ventilação pulmonar, favorecendo o processo de troca gasosa. Na respiração normal, aparentemente nem todos os alvéolos dos pulmões são ventilados igualmente, alguns periodicamente se fecham e são abertos pela longa e profunda inspiração do bocejo.

Segundo a filosofia hindu, na molécula de oxigênio encontra-se agregada uma importante energia vital chamada "prana". Desse modo, o bocejo, que promove a "hiperventilação" pulmonar e maior absorção do ar inspirado, além de ser um importante mecanismo do corpo para repor as energias consumidas pelo esforço físico, também promove a captação energética e o desprendimento da negatividade agregada.

Quando nos encontramos cansados, após um longo dia de atividades, o organismo reage com o bocejo. Nesse caso ele é um sinal de que precisamos dormir para repor as energias consumidas no trabalho.

Algumas vezes bocejamos sem estarmos desgastados pelo esforço físico. Não são apenas as atividades que absorvem nossa energia. Podemos doar energia a uma pessoa doente, ou ainda ser sugados por alguém que se encontre com baixa vitalidade. Quando isso acontece, esse mecanismo de recarga é imediatamente acionado.

Doar energia para alguém adoecido é um gesto saudável. O doente está em conflito e num emaranhado psíquico, e ele não consegue por si só repor as energias necessárias para o restabelecimento de sua saúde e vitalidade.

No entanto, dar abertura para ser sugado energeticamente por alguém é ficar descompensado das forças necessárias para a realização de seus afazeres. Desprender energias para terceiros não vai resolver a condição deles; pode, sim, comprometer sua atuação na vida.

A baixa energética que você sofre por ter sido sugado reduz sua intensidade de atuação na vida. O empenho nas atividades é reduzido, e consequentemente seu aproveitamento é menor do que se você usasse todas as suas forças em prol de seus objetivos. Nesse caso, obteria melhores resultados do que permitir que os outros levem parte de suas energias sem pedir licença.

Isso ocorre porque nos identificamos com o problema dos outros. Mesmo nada podendo fazer, ficamos preocupados com a condição alheia e queremos de alguma forma ajudar. Essa postura, além de causar desgaste psíquico, abre os canais energéticos por onde se esvaem nossas forças. Queremos tanto colaborar que ficamos displicentes para com as nossas próprias coisas.

Essa atitude demonstra que damos mais importância aos outros do que a nós mesmos. O que nos leva a isso é a baixa estima e falta de amor-próprio. Quem se ama cuida de si e preserva a vitalidade, não fica envolvido com os problemas dos outros a ponto de esquecer os próprios desafios e comprometer seus afazeres.

Não aja de forma a beneficiar os outros e prejudicar a si. Não adianta ser bom para as pessoas e displicente para consigo. Desse modo, você não estará ajudando, mas sim se atrapalhando. A vida proporcionou-lhe condições físicas e energéticas, saiba aproveitá-las bem. Não permita que suas baterias energéticas sejam frequentemente descarregadas. Quem pode estar precisando de você, nesse momento, é você mesmo.

RONCO

Teimosia.
Não abrir mão de seus valores
ou pontos de vista.

O ronco é decorrente da vibração do ar ao passar pelos brônquios e traqueia, com secreção.

No âmbito metafísico, a pessoa que ronca permanece presa às velhas crenças. Insiste em mantê-las, criando argumentos para convencer os outros de que está com a razão. Não se trata apenas de um teimoso, mas alguém que julga ser dono da verdade.

O ronco pode se manifestar em qualquer idade. Até os jovens que fazem questão de impor seus pontos de vista a qualquer custo também roncam.

É complicado conversar sobre determinados assuntos com alguém que apresente esse perfil, pois ele quer ter sempre razão, não se abre para um diálogo consciencioso.

Além da teimosia e da inflexibilidade no diálogo, as pessoas que roncam geralmente são controladoras. Na insistência de manter o poder ou defender seu ponto de vista, não relaxam nem para dormir. Durante o sono mantêm registrada uma mensagem no subconsciente: "Preciso dormir, descansar, mas não posso largar mão da situação nem amolecer perante os outros". Tudo isso provoca uma tensão que estimula a secreção na traqueia e brônquios, ou forma uma pequena saliência, causando o ronco.

A vibração causada no palato identifica bem a dificuldade de moldar-se aos fatos do cotidiano, que não correspondem ao modelo ideal de vida que traz consigo. Sua atitude endurecida na distinção entre o que gostaria e a realidade dos fatos é que estimula a secreção na região da garganta durante o sono, fazendo vibrar o palato e provocando o sonido desagradável do ronco.

SOLUÇO

Ansiedade e medo do desfecho de uma situação.

O soluço é uma resposta anormal que não serve a nenhum propósito útil conhecido para o corpo. O soluço é uma inspiração rápida e involuntária causada pela contração espasmódica do diafragma (músculo responsável pelo mecanismo da respiração).

Metafisicamente o soluço é um medo juntamente com a ansiedade que surge quando se está diante de uma situação difícil de lidar. Pode ser um assunto que se inicia na mesa durante a refeição. Ao imaginar o rumo da conversa, você começa a soluçar, expressando por meio do soluço seu desejo de encerrar o assunto ou mudar o rumo da conversa antes que toquem nos pontos que lhe são cruciais.

Como o soluço se manifesta no diafragma, que mantém o ritmo respiratório e corresponde na metafísica à absorção e expressão da vida, é exatamente nele que se refletem o medo, a ansiedade ou a pressa em se colocar na situação. Isso provoca uma tensão nesse músculo, causando os espasmos típicos do soluço.

Ele pode ocorrer num momento em que você estiver sozinho, só pensando. Nesse caso, o que provoca o estado de medo ansioso são seus próprios pensamentos. Quando você está pensando em coisas que o deixam apavorado, começa a sentir uma agitação interior e quer parar de pensar naquilo. Tenta imaginar outras coisas, mas não consegue. Se você permanecer assim por algum tempo, isso pode causar o soluço.

CONSIDERAÇÕES FINAIS

Ao longo desse sistema, avaliamos as diversas maneiras de atuar no ambiente, as posturas saudáveis e as problemáticas em se relacionar com o meio. Para que esse estudo sobre a vida obtenha os resultados que levaram à elaboração dessa pesquisa metafísica, é necessário que você faça uma reavaliação acerca de sua maneira de interagir com o ambiente.

Durante a vida vamos adotando uma série de hábitos e manias que numa determinada época facilitaram a nossa integração com o meio. Para aquela época, até que elas foram úteis, porém hoje não condizem com nossa realidade, causando-nos desconforto e mal-estar. Pode-se dizer que na atual conjuntura não dá para ser como antes. Tudo mudou em nossa vida: crescemos fisicamente, nos desenvolvemos socialmente, porém emocionalmente ou no que se refere à maneira como lidamos com as situações familiares ainda somos os mesmos.

Obviamente isso não é saudável, porque na vida tudo se renova, só você permanece igual.

Só nós somos capazes de avaliar o quanto nos custa manter uma postura retrógrada. O preço que pagamos é o mal-estar constante, a irritação, o desconforto e sobretudo o sentimento de anulação e negação da individualidade.

Renovar faz parte do ciclo natural da vida. À medida que você se desprende de certos valores e acolhe novas concepções, você amplia a consciência e desenvolve habilidades de integração com o ambiente. Para se obter harmonia nas relações interpessoais é necessário romper com as barreiras do eu, acolher aqueles que o cercam e interagir de maneira a não desprezar os outros, tampouco se anular perante eles.

Desse modo você vai conseguir expressar suas vontades, respeitando a realidade. Irá encontrar uma forma de realizar seus intentos, sem comprometer a ordem do ambiente.

Essa atitude é saudável para o sistema respiratório, mantém o bem-estar interior, conquista a liberdade e garante muitos momentos felizes.

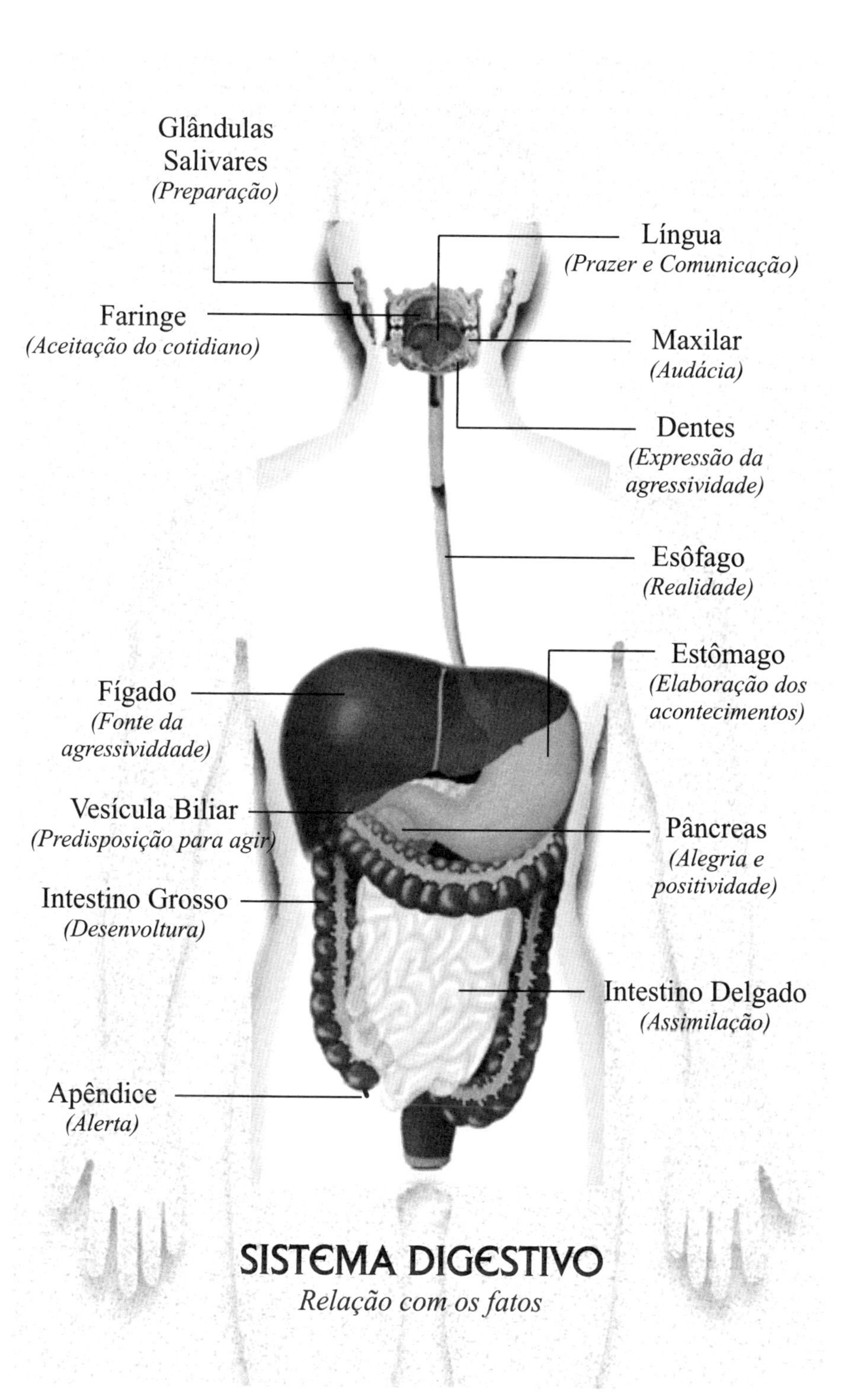

SISTEMA DIGESTIVO

Relação com os fatos

SISTEMA DIGESTIVO

Os alimentos que o homem ingere proporcionam substâncias necessárias para a manutenção do metabolismo orgânico e fornecem nutrientes para as atividades musculares, sendo indispensáveis ao desenvolvimento físico e mental.

A absorção das substâncias alimentícias pelo organismo ocorre após sua transformação em constituintes mais simples e solúveis. Isso se dá por meio de processos mecânicos e químicos denominados digestão, nos quais existe a interferência de mecanismos nervosos e hormonais. O processo mecânico da digestão inclui a mastigação, deglutição e os movimentos musculares do estômago e do intestino.

Metafisicamente, a digestão está relacionada à razão e ao processo usado pelo racional para "digerir" o que vem de fora, ou seja, a forma com que lidamos com as situações concretas do mundo físico.

Sua relação com a mente consciente está na aceitação e na digestão das impressões materiais do mundo, bem como na maneira como suportamos ou não essas impressões. Somos nós que determinamos se uma digestão será boa ou má. Aqueles que suportam com maior facilidade as coisas que acontecem em sua vida proporcionarão a si uma digestão fácil e certamente saudável. Em resumo, o alimento que penetra no interior do corpo sofrerá a ação do mesmo modo que a pessoa aceita os fatos externos. Quanto mais complicada e demorada essa aceitação, pior será sua digestão.

Todos sabemos que os problemas diários exercem influência direta no apetite, podendo causar tanto a perda deste (o que representa a não-aceitação desses problemas), quanto seu aumento, o que significa sufocar-se para não "estourar", caracterizando o popular "virar a mesa", numa forma de expressar que os limites psíquicos de aceitação foram ultrapassados por aquela situação. Esses limites estão diretamente relacionados ao processo digestivo.

Algumas pessoas, ao se julgarem fracas por não aguentar processos difíceis do cotidiano, terminam por alimentar-se mal, privando o organismo de vitaminas e proteínas necessárias para a manutenção de um corpo forte e saudável. Com o corpo fraco, fica expressa a fragilidade psíquica para enfrentar seus processos.

A alimentação pode interferir também no emocional do ser humano. Para alguém que se encontra em depressão ou angustiado (sentimentos considerados frios), a ingestão de sopa ou chocolate quente ajudará a suavizar esse processo. No caso de agitação e/ou nervosismo (considerados sentimentos quentes), recomenda-se a ingestão de alimentos frios.

Um fato curioso a ser considerado na digestão refere-se ao estreito vínculo entre a personalidade do indivíduo e sua preferência ou recusa por determinados alimentos. Encontramos nos hábitos diários a expressão da personalidade, sendo a alimentação um hábito corriqueiro que revela importantes características da pessoa.

Você já se indagou a razão de sua preferência ou não por determinados alimentos? Visto que nada é por acaso, sempre há uma ligação com a postura interior, o que leva ao estabelecimento da afinidade ou recusa por algum sabor.

Doce simboliza o amor. O apetite exagerado por doces revela a personalidade de alguém que esteja faminto de amor e não está sendo saciado adequadamente. Essa necessidade interior faz surgir o desejo constante de ingerir doces. Esta é uma condição muito comum nas crianças carentes, que exigem uma dose maior de carinho e atenção, revelando a necessidade de ser amadas. Não raro essa situação ocorre com os adultos, revelando a falta de amor por si, ao passo que a total aversão por doces representa não-aprovação. São pessoas que odeiam ou que foram muito machucadas nas relações afetivas e se fecham completamente para o amor.

O gosto por comidas com dose acentuada de sal revela tendências frequentes e conflitos internos. O sal é o oposto do doce, revelando o comportamento nas pessoas que têm facilidade de se isolar do mundo e das pessoas. Costumam ser sós e têm dificuldade de se relacionar afetivamente com alguém. Sua dificuldade baseia-se em dar e receber amor.

Uma vez que a fuga dos conflitos emocionais através da ação exagerada demonstra uma falta de habilidade em lidar com as emoções, o gosto pelo sal é a raiz dos problemas de pressão alta, o que revela uma perfeita associação com esse padrão de comportamento. A condição de ser muito racional e pensar demais nas situações sociais e financeiras, distanciando-se dos sentimentos, desperta o desejo de comidas salgadas e bem condimentadas.

Preferência por alimentos em conservas e defumados revela personalidade conservadora e moralista.

As pessoas que apreciam comidas bem temperadas e principalmente apimentadas são arrojadas, gostam de desafios, estão sempre em busca de novos estímulos.

A opção pelo uso de comida sem tempero e sem sal reduz os estímulos das glândulas salivares e as pessoas que fazem opção por dietas espontâneas, com alimentos assim, demonstram o desejo de se pouparem de todas as novas impressões. Esse tipo de alimentação é comum em hospitais e produzem resultados positivos aos pacientes, porque, além de outras razões, poupa os enfermos de fortes estímulos, favorecendo a recuperação. A opção pessoal por esse tipo de alimentação retrata o medo de lidar com os desafios da vida, temendo qualquer confrontação.

As dietas líquidas que são indicadas para quem sofre de problemas estomacais produzem um estado de despreocupação pela situação. Essa condição é característica da criança, que não tem nenhuma obrigação de decidir-se por nada. A preocupação excessiva é um dos fatores que causam os problemas estomacais. As dietas líquidas atenuam esse estado.

A opção por alimentos duros de mastigar revela muita agressividade por parte da pessoa, ou ela considera a vida "difícil e dura de engolir".

Outra preferência interessante de ser observada é comer molho vermelho com pão. O pão provém do trigo. Este simboliza a fertilidade, e a cor vermelha do molho representa vitalidade. Assim sendo, essa preferência demonstra o desejo de desenvolver vitalidade interior.

A preferência por castanhas, que são o cerne de algumas sementes, retrata a personalidade das pessoas que querem chegar ao âmago das situações e com isso vivem arrumando problemas.

Esses exemplos facilitam sua descoberta para aquilo de que gosta ou tem aversão. Agora é a sua vez de analisar suas preferências alimentares.

NÁUSEA E VÔMITO

Resistência e recusa às situações.

Náusea é uma sensação de desconforto na região digestiva, provocada pela aversão a alguns alimentos. É conhecida popularmente como enjoo.

Suas causas metafísicas estão associadas ao medo de vivenciar alguma situação a qual rejeita. A recusa em aceitar o que está por vir pode provocar o mal-estar estomacal.

Quem sente náusea durante uma viagem aérea possui personalidade de apego à realidade, pode-se dizer que é muito "pé-no-chão". Quando se vê diante da sensação de voar, faz uma associação inconsciente de perder o controle da vida e das situações ao redor.

No tocante ao enjoo durante a gravidez, esse estado é provocado pela alteração orgânica e hormonal.

Metafisicamente, as náuseas expressam os medos e inseguranças sobre a maternidade. Não se pode dizer que a mulher esteja rejeitando o filho, mas sim que procura rechaçar algumas crenças e receios acerca do que é ser mãe e o que essa experiência vai exigir dela.

O vômito é o ponto máximo da náusea, é quando o estômago expele aquilo que foi ingerido. Esse ato retrata a violenta rejeição das impressões indesejáveis, as quais nos recusamos a assimilar por medo de novas situações. Por isso, vomitar é não aceitar algo.

O vômito pode ser causado pela própria saliva, e esse estado pode ocorrer pela manhã. Assim que levantamos, a densidade e o gosto ruim na boca podem provocar o vômito. Isso ocorre no início de um dia em que vamos fazer algo para o qual não nos sentimos preparados. O fato é que não aceitamos o risco de ser malsucedidos em uma função ou exigimos muito de nós.

Por isso, sentir medo quando se vai ser submetido a uma avaliação representa ser muito exigente para consigo, tentando a todo custo sustentar uma imagem criada para si. Sente-se ameaçado por ter sido colocado à prova aquilo que sempre quis manter como ideal, quem sabe um título de exímio profissional, de inteligente, de ser o melhor.

O medo mantém a pessoa limitada, uma vez que não admite correr nenhum risco. Ele leva as pessoas a recusar qualquer possibilidade de viver novas experiências e adquirir novas conquistas.

DENTES

Decisão, vitalidade e força agressiva

O primeiro passo no processo digestivo é a trituração da comida, que ocorre na boca, função esta desempenhada pelos dentes, que através da mastigação preparam os alimentos, dando início à digestão.

Na mastigação, os dentes selecionam os alimentos para triturar, e esse ato mecânico está associado à capacidade de seleção das ideias para posterior decisão. A primeira medida a ser tomada antes de qualquer ação é a escolha. Os dentes representam a disposição para defender nosso ponto de vista e enfrentar as situações da vida. Para tanto se faz necessária uma certa vitalidade. O termo "agarrar com unhas e dentes" demonstra a disposição em usar a vitalidade, força e agressividade para conseguir um intento.

A grande consistência da dentina e do esmalte do dente é um referencial orgânico de firmeza e força que nos impulsiona a agir com garra e determinação. A dentição ajuda-nos a ser destemidos para desbravar nosso espaço no mundo e conquistar respeito e consideração.

O bom uso do poder de escolha e a movimentação das virtudes são fatores determinantes para a saúde dos dentes.

A pessoa que tem os dentes ruins demonstra sua dificuldade de decidir, de se impor dentro de uma situação e mostrar sua agressividade. Possui baixa vitalidade e dificuldade de enfrentar e conquistar seu espaço na vida.

As crianças com problemas nos dentes apresentam dificuldade em se relacionar e conquistar sua independência.

Cada grupo de dentes representa um fator específico de nossa constituição emocional.

A dentição da parte superior refere-se aos conteúdos inatos, à consistência do ser, ao caráter e as crenças mais profundas. Os dentes localizados na parte inferior relacionam-se à personalidade, à conduta e ao comportamento.

Em suma, a parte superior da boca demonstra o que somos, ou seja, é a nossa verdade interior, e os dentes inferiores referem-se ao que nos tornamos.

Os dentes anteriores (caninos e incisivos) manifestam a força impulsiva, a maneira arrojada e desembaraçada de se expressar. A dentição posterior (pré-molares e molares) reflete a persistência e a tenacidade. Resumidamente, os dentes da frente, agressividade; os dentes de trás, motivação.

CÁRIE DENTÁRIA

Indecisão.

Perda da solidez interior.

A cárie dentária consiste na destruição crônica dos tecidos calcificados, que se inicia na superfície do dente mediante descalcificação do componente mineral do esmalte. A invasão pelas bactérias leva à destruição do esmalte e da dentina, com formação de cavidades nos dentes.

Os ácidos que iniciam o processo da cárie são formados pela ação dos microorganismos chamados lactobacilos sobre os resíduos alimentares, principalmente os carboidratos fermentáveis contidos em doces, açúcares, bolachas, macarrão, arroz e até leite. Dez minutos após a ingestão de carboidratos, os lactobacilos já estão produzindo o ácido que atacará o esmalte.

Vimos anteriormente que os problemas ocasionados nos dentes estão associados a fatores que envolvem a capacidade de decisão e ação. No tocante à cárie, a pessoa sente-se confusa e insegura para se posicionar.

Geralmente passa a viver em função dos outros ou sujeita a alguma espécie de domínio, comprometendo a solidez interior. Sua diretriz de vida pode estar sendo alterada de forma aleatória, sem que a pessoa esteja conduzindo as mudanças.

Quando nos tornamos incapazes de analisar as ideias com nossos princípios internos que nos levam a tomar as decisões, vamos perdendo a solidez deles. Em consequência disso, os dentes se tornam vulneráveis aos agentes causadores da cárie, que vão se formando e invadindo a dentição da mesma forma que as ideias invadem nossos princípios.

A desmineralização dentária causada pela cárie representa bem a perda da solidez interna. Quando esta atinge o canal do dente, representa que a pessoa não consegue mais manter seus princípios. Esses são completamente invadidos pelas crenças dos outros, que estão sendo introjetadas em sua alma.

CANAL

Índole, senso moral e familiar.

Representa os valores essenciais do ser, que norteiam as diretrizes de atuação na vida.

Quando a desmineração dentária causada pela cárie atinge o canal, isso representa que a pessoa não está conseguindo manter seus objetivos e tem sido profundamente abalada pelos episódios da vida.

No caso da inflamação do canal dentário, isso demonstra o quanto os acontecimentos afetaram a pessoa, a ponto de ela questionar seus valores e não conseguir manter um posicionamento adequado diante da situação que deu origem a esse problema.

MAXILAR

Dosagem da força agressiva.

O maxilar tem a função de controlar a mastigação e está associado à maneira como dosamos e articulamos a agressividade. Existem pessoas que travam seu maxilar de tal forma a não conseguir abrir a boca. Nesse caso podemos avaliar a proporção da raiva reprimida, chegando ao ponto de não permitir o uso dos dentes num processo imprescindível à vida. Outros chegam a deslocar o maxilar, tamanha a pressão interna. Para compreendermos esse fato, podemos observar numa luta de boxe a importância do maxilar: basta atingir um soco certeiro para levar o adversário a nocaute, pois este perde completamente o sentido de direção e canalização de sua raiva contra o adversário. Assim a pessoa que desloca seu maxilar, possui tanta raiva reprimida que perde o controle e se desorienta na maneira de conduzir sua vida.

GENGIVA

Firmeza nas decisões.

A gengiva forma um revestimento da parte óssea do maxilar e dos dentes.

Sua relação metafísica está ligada ao autoapoio, quer dizer, não se deixar contaminar pelas opiniões alheias, acreditar que sua decisão é a mais acertada e não se deixar levar pelas indagações dos outros.

A gengiva frágil ou demasiadamente sensível representa insegurança e falta de confiança em si próprio.

O sangramento na gengiva ocorre nas pessoas que se perdem na segurança interior, que se atrapalham quando precisam defender seus pontos de vista.

Gengivite é uma inflamação da gengiva que provoca a perda dos contornos normais, formando bolsas na gengiva e causando sangramento.

Esse estado representa a frustração da pessoa por não conseguir sustentar as decisões nem se manter firme em seus propósitos. Em decorrência disso surge uma exaltação interior. É um estado de irritabilidade que provoca incertezas acerca do modo de pensar, perda da autoconfiança e distanciamento de seus princípios.

LÍNGUA

Prazer e articulação da expressão.

A língua exerce importante função na mastigação e na articulação da palavra. É um órgão gustativo responsável pela identificação do paladar.

É um órgão erógeno por meio do qual se experimentam as sensações de prazer e sensualidade durante envolvimento afetivo. É graças a ela que experimentamos os sabores agradáveis, formando o senso de gostoso e de ruim. Melhor dizendo: a seleção do que aceitamos ou não que penetre em nosso interior.

A língua também participa da expressão, ajudando a articular o som e produzir as palavras que exprimem as ideias e nossos sentimentos.

Metafisicamente a língua é um referencial da verbalização: da maneira como falamos com as pessoas, da forma como damos uma notícia ou ainda do assunto que escolhemos para participar de uma conversa. Assim sendo, quando perdemos a apreciação das coisas que nos cercam, não temos prazer em mais nada e ainda criticamos tudo, podendo apresentar algum tipo de alteração na língua. Outra condição emocional que pode alterar a língua é a reprovação daquilo que dissemos.

Vejamos alguns problemas da língua:

Língua presa. Este estado pode afetar a fala e interferir na mastigação. Esta anomalia ocorre nas pessoas que são bloqueadas na apreciação do prazer ou reprimidas na expressão verbal, apresentando dificuldade em falar o que pensam.

Morder a língua. Morder a língua não é considerado um problema que cause maiores preocupações ou cuidados especiais, entretanto provoca certo desconforto para falar e comer.

A causa mais comum que nos leva a cometer esse ato de agressividade é estarmos falando sobre algo sobre o qual decidimos não mais colocar nossa opinião. Nesse caso, morder a língua é uma forma de nos recriminarmos por algo que estamos falando.

Outra causa um pouco rara que pode nos levar a essa autoagressão ocorre quando estamos passando por alguma fase triste da vida e não acreditamos que o prazer e a alegria sejam direitos nossos em virtude das circunstâncias graves ou tristes.

Morder a língua também é uma forma de autopunição por estarmos tendo emoções que julgamos não serem apropriadas à situação.

Glossite. Inflamação da língua. Ocorre quando a pessoa está queimando de raiva por pequenas coisas que não lhe agradam em alguém que faz parte de suas relações pessoais ou profissionais. Nega-se a falar a esse respeito para não agredir verbalmente o outro, ou causar qualquer tipo de atrito que venha a prejudicar seu relacionamento, ou quebrar a harmonia do ambiente, desencadeando com isso uma situação indesejável. Passa a viver uma desarmonia interior, ficando frequentemente aborrecida e exaltada, deixando com isso de sentir os prazeres que fazem parte dos envolvimentos com as pessoas do meio.

Os atritos internos provocados pela não verbalização das pequenas coisas que irritam profundamente, além de provocarem o quadro inflamatório, também vão minando a relação e reduzindo o prazer da companhia. A recusa de falar para não comprometer o envolvimento é em vão, porque piora ainda mais a relação.

Outra circunstância que pode causar a glossite ocorre quando a pessoa não está recebendo o prazer que gostaria ou esperava, e isso a deixa exaltada, porém essa exaltação não é expressa.

Essas pessoas são vítimas de carinhos indesejáveis. Por mais que elas falem que não gostam de ser tocadas numa região do corpo, seu parceiro insiste em tocá-la justamente ali. Geralmente são áreas em que sentem cócegas.

As cócegas representam uma defesa para a pessoa não se sentir invadida em sua intimidade. Isso já não ocorre durante uma relação mais íntima, pois as suas defesas são abertas, porque permitiu incluir o outro em sua intimidade. Porém, se a pessoa não der abertura, permanecerá sentindo cócegas toda vez que for tocada.

O que a irrita nesse caso não é o fato de ser tocada em alguma região do corpo, mas sim aquilo que se tem mal resolvido em relação a uma parte do corpo. Um fato curioso é que os locais onde é instalado o desconforto parecem instigar os outros a tocá-lo. Geralmente a região do corpo mais afetada pelas cócegas são as axilas e a parte côncava dos pés. Estas representam os sentimentos mais íntimos.

AFTA

Autopunição.
Sentir-se despreparado e negar
a própria capacidade.

A afta é uma ulceração da mucosa bucal, de natureza autoimune. Após alguns dias desaparece, sem deixar cicatriz. Existem dois fatores metafísicos apontados como desencadeadores da afta, sendo eles a autodesaprovação e a negação das habilidades. No tocante à autodesaprovação, quando a pessoa se arrepende do que fez, da maneira que se colocou numa situação, essa condição pode se manifestar com o surgimento de aftas. Elas podem até ser secundárias a ferimentos na língua, como mordidas.

Outra condição é o medo de encarar uma situação. A pessoa não se sente suficientemente preparada para executar alguma tarefa para a qual está sendo convocada a desempenhar. Apesar de ter requisitos suficientes para ser bem-sucedida, fica apavorada e insegura, acabando por recusar-se a assumir os desafios.

MAU HÁLITO

Desejo inconsciente de distanciar
as pessoas.

O mau hálito é produzido por desarranjos estomacais, dentários e outros.

Ter mau hálito representa uma dificuldade em coordenar as situações da vida que envolvem as pessoas à sua volta. O mau hálito é uma resposta orgânica no sentido de distanciar os outros.

Pela falta de habilidade em coordenar as atividades e baixo desempenho nas funções, a pessoa passa a desejar que todos permaneçam distantes. Como não consegue se impor pela capacidade, utiliza-se de seus mecanismos inconscientes para distanciar os outros.

Se analisarmos cada desarranjo orgânico que provoca o mau hálito, vamos encontrar patente a causa aqui apresentada. Por exemplo: na cárie dentária, que está associada à perda de solidez dos princípios e dificuldade de decisões, obviamente veremos que essa situação é proveniente das pessoas à nossa volta. A nossa resposta orgânica com a produção do hálito fétido tem por objetivo nos distanciar delas, uma vez que não conseguimos impor muito bem uma ordem e disciplina, quer seja moral, familiar ou profissional.

Um outro fator que se deve considerar no tocante ao mecanismo emocional desencadeador do mau hálito é que o desejo de distanciamento também pode estar relacionado com o fato de existir algo a esconder dos outros, ou ainda pelo simples fato de se incomodar com as pessoas.

ESTOMATITE

Sentir-se invadido e não conseguir sustentar seu ponto de vista.

Inflamação das partes moles da boca que provoca hálito fétido e saliva com sangue.

A estomatite dificulta a alimentação, e a presença de sangue na saliva representa o quão perdida a pessoa se encontra diante das opiniões dos outros.

No âmbito metafísico, é decorrente de uma grande exaltação interior, em que a pessoa se inflama com sua situação, em virtude de seu despreparo para as novas circunstâncias da vida que causam frustrações e medos. Frequentemente ela se apega descontroladamente a alguém que demonstra força e coragem, condições as quais não acredita possuir.

GLÂNDULAS SALIVARES

Sentir-se preparado para os acontecimentos.

A secreção do fluxo salivar favorece a mastigação e deglutição dos alimentos, lava as bactérias e os restos de comida dos dentes e favorece a limpeza oral.

A presença da saliva também demonstra um preparo da cavidade bucal para a recepção dos alimentos e o início do processo digestivo. Quando estamos colocando a comida no prato, apanhando-a com o garfo e levando-a à boca, já ocorre a secreção salivar, causada por um estímulo puramente psicológico e não físico. É claro que, quando o alimento está na boca, a secreção de saliva aumenta de acordo com a necessidade de maior ou menor fluxo, para facilitar a deglutição. O estímulo psicológico pode ser constatado quando pensamos num prato saboroso e a boca se enche de saliva.

A boca umedecida pela saliva é uma condição primordial para a recepção e absorção dos alimentos.

As glândulas salivares têm uma relação com o prazer: quando gostamos de algo, salivamos. Existe até um dito popular que se refere a "estar babando de vontade". Esse fato é notório nos bebês: quando eles gostam de algo ou de uma pessoa, sua salivação aumenta.

A produção de saliva representa o preparo interior e sua predisposição em receber os agentes externos: as ideias, situações e fatos da vida. Seu bom funcionamento ocorre quando a pessoa quer e sente prazer em receber o novo.

Os problemas nessas glândulas podem surgir quando nos recusamos a aceitar os fatos ou perdemos o prazer na vida.

CAXUMBA OU PAROTIDITE

Sentir-se impotente diante dos fatos.

É uma doença provocada por vírus, geralmente causando aumento doloroso das glândulas salivares. Embora possa ocorrer em qualquer idade, a maioria dos casos ocorre em crianças com idade entre cinco e quinze anos.

O sintoma mais comum é a dor ao mastigar ou engolir, especialmente ao deglutir líquidos ácidos como vinagre ou suco de limão.

O que deixa uma pessoa vulnerável à caxumba é a extrema dificuldade em receber os acontecimentos da vida, a maneira dolorida com que recebe as ideias e os conceitos do ambiente. Sente-se impotente diante da situação e totalmente despreparada para absorvê-la. Os fatos são recebidos com muito ardor, por isso engolir algo ácido fere tanto.

O aumento das glândulas salivares com dor demonstra o quanto a pessoa se sente obrigada a engolir as situações, e a dor em ter que aceitar caracteriza bem a instalação da caxumba no organismo. Esse estado ocorre com mais frequência em crianças pela necessidade de adaptação com o meio e pelo teor inabalável das ideias provenientes dos pais que são contrárias a seus princípios.

SÍNDROME DE SJÖGREN (SS)

Revolta e indisposição em absorver os episódios da vida.

Lesão inflamatória caracterizada pela secura na boca, olhos, nariz e outras mucosas. Sua causa é desconhecida pela medicina, porém o padrão metafísico das pessoas que contraem essa disfunção glandular pode ser compreendido de acordo com a região afetada. Vejamos alguns exemplos:

Atrofia das glândulas salivares. A saliva é diminuída e há extrema secura resultante na boca e nos lábios.

Essa disfunção está diretamente relacionada com a indisposição da pessoa em aceitar o estilo de vida que leva. Não gosta das coisas que tem, por isso não tem a mínima vontade de digerir os fatos que ocorrem à sua volta.

Não sente prazer naquilo que faz, demonstrando uma profunda indiferença em participar do meio.

Essa falta de umidade natural também pode ocorrer nas membranas mucosas do nariz, garganta, laringe e brônquios. A secura do trato respiratório frequentemente leva a infecções pulmonares e algumas vezes à pneumonia, porque a falta de umidade da mucosa não permite a aderência dos agentes infecciosos, possibilitando que estes atinjam os pulmões e alvéolos pulmonares.

Vimos anteriormente que a pneumonia ocorre por causa do cansaço da vida, que leva a pessoa ao desespero, podendo até causar a morte. Pois bem, a causa dessa secura da mucosa nasal ocorre pela indisposição em aceitar as ideias e conceitos, que são representados pelo ar inspirado. Essa postura interna do indivíduo pode estar associada aos conflitos familiares, brigas e discussões que provocam e ocasionam a recusa na aceitação de suas próprias limitações. Isso irá refletir no organismo, provocando a secura das fossas nasais, que representa o despreparo da pessoa para absorver o oxigênio.

Em algumas pessoas a SS afeta os olhos, causando atrofia das glândulas de secreção lacrimal e provocando a dessecação da córnea e da membrana que recobre a parte anterior do globo ocular, o que dificultará o processo visual e os movimentos das pálpebras.

Geralmente a SS, que afeta os olhos, está associada à conjuntivite (ceratoconjuntivite seca). Esta tem raiz no sentimento de raiva do que vemos, deixando-nos frustrados diante dos fatos.

A secura dos olhos ocorre mais comumente na mulher adulta, provocada por situações que presenciou e as quais se recusa a perdoar, também por não compreender e criticar a autoridade expressa do que viu ou pelo desejo de punição que tem origem na raiva provocada por não ter feito nada diante daquela cena insuportável para ela.

Essa situação altamente conflitante gera fortes bloqueios, que, além de provocarem esses distúrbios oculares, podem causar muita dor durante o ato de chorar. As lágrimas representam um grande sacrifício que é acompanhado de dor, tamanhos os bloqueios que se mantêm arraigados no ser e a resistência em se desvencilhar deles.

FARINGE

Aceitação dos fatos triviais.

É a parte do sistema digestivo que serve como via tanto para o sistema respiratório quanto para o digestivo. Ela permite ao indivíduo respirar por meio da boca, mesmo se as cavidades nasais estiverem obstruídas.

Engolir é o ato pelo qual os alimentos se encaminham da boca, através da faringe, ao estômago. Esse ato também é conhecido como deglutição, em que ocorre o transporte compulsivo do bolo alimentar, a partir da ação voluntária da língua que impele o bolo a penetrar no interior da faringe, sendo conduzido por contrações de alguns músculos da faringe até penetrar no estômago.

A faringe relaciona-se com a aceitação das situações corriqueiras que eventualmente surgem no dia a dia ou nas relações com as pessoas de nosso convívio.

Quando estamos diante de acontecimentos que não nos agradam mas são inevitáveis, temos determinadas reações a eles. A maneira como reagimos interiormente a isso pode interferir no bom funcionamento da faringe.

Um termo popular que expressa bem a relação metafísica é "engolir sapo". São aquelas coisas que as pessoas de seu convívio fazem ou falam, e você não admite mas não tem como revidar. Pode também ser uma colocação ou atitude feita por alguém que ocupa um cargo superior ao seu na empresa onde trabalha, e você não tem outra alternativa senão "engolir". Imagine você participando de uma reunião que aborda um assunto com o qual você não concorda, entretanto não pode apresentar seu ponto de vista acerca do que está sendo exposto. Como dizem, tem que "engolir a seco".

Para o bom funcionamento da faringe, deve-se fazer uma distinção entre você e as outras pessoas. Pode ser que você jamais fizesse daquela maneira ou dissesse aquilo. Entretanto, quem está fazendo ou dizendo não é você. Temos o péssimo hábito de querer que os outros sejam como nós, ou que façam as coisas da mesma maneira que nós faríamos.

Quando não aceitamos algo que os outros fazem ou falam, estamos querendo moldar a realidade do outro à nossa, sem considerarmos o nível de experiência que aquela pessoa está adquirindo com aquele processo. Mesmo que for aos tropeços, ela irá aprender com aquilo. De uma forma ou de outra, a experiência individual será adquirida. Ao invés de ficarmos julgando os processos dos outros com nossos valores, por mais próximos que eles sejam de nós, convém zelarmos mais por nossa própria experiência e não querer que o mundo e as pessoas se moldem à nossa realidade.

FARINGITE

Irritação por não saber lidar com os episódios desagradáveis.

É uma inflamação da faringe que ocorre quando ficamos irritados com os "sapos que engolimos" nas situações corriqueiras. Quando não aceitamos as situações do meio em que vivemos ou as atitudes das pessoas de nosso convívio e nos irritamos, nos tornamos vulneráveis à inflamação da faringe.

A faringe é afetada da mesma forma com que estamos sendo atingidos pela situação. A congestão da mucosa laríngea refere-se ao quanto nos congestionam com as ideias ou fatos que estamos presenciando. A dor e a dificuldade em engolir retratam o quanto estamos sendo machucados e o quanto recusamos engolir os acontecimentos.

Convém lembrar que, se tudo que os outros fazem ou falam lhe provoca irritação, é porque tem a ver com seu interior. Você pode discordar, pois sua realidade aparente não condiz com aquela situação, não é sua verdadeira identidade. Isso é muito claro, pois o fato de não engolirmos algo denota o desconhecimento de nós próprios. Ficamos irritados porque somos ameaçados naquela imagem que insistimos em manter, acreditando que somos aquilo que idealizamos ser. Com isso, negamos nossa verdadeira maneira de ser e irritamo-nos profundamente ao ver o que tentamos esconder em nós claramente estampado nos outros. Quando essa irritação afeta a faringe, é sinal de que já não conseguimos mais nos "engolir" daquele jeito.

Isso pode ocorrer de maneira mais generalizada, como em sua família, por exemplo. No momento em que você não mais aceita sua família com as "falhas" que ela possui, essa irritação será transferida para sua faringe.

Essa não-aceitação pode se dar no campo profissional, revelando sua recusa em aceitar o fato de que você trabalha numa empresa repleta de fatores obscuros e negativos, bem como junto a pessoas com "falhas" insuportáveis que dificultam uma convivência harmônica. Entretanto, essa situação foi inteiramente atraída pelo próprio processo de vida em que você se encontra no momento. Trata-se de uma situação criada por sua própria recusa em aceitar que essas mesmas "falhas" alheias possam existir também em você.

ESÔFAGO

Realidade de vida.

O esôfago é um canal que se comunica diretamente com o estômago. Ele se estende a partir da faringe, passa pelo diafragma, entrando no estômago.

O esôfago está relacionado com as situações já caracterizadas, conforme se repitam com relativa frequência ou se arrastem por um longo espaço de tempo.

A aceitação de qualquer fato da vida interfere na função do esôfago. Quando se vive bem com as situações, por mais desagradáveis que possam aparentar, não há alteração em sua função metabólica. No entanto, ao menor sinal de descontrole e recusa em aceitar essas mesmas situações, essas funções são alteradas.

Todas as fases conturbadas que atravessamos, sejam elas referentes a filhos, marido com problemas de saúde ou mesmo uma dificuldade financeira pela qual estejamos atravessando, têm como objetivo mostrar realidades internas que precisam ser trabalhadas. Toda interferência no processo de outras pessoas termina por piorar a situação, não auxiliando absolutamente nada.

Caso você esteja envolvido diretamente na situação, esta servirá para lhe mostrar que sua resistência em trabalhar essas realidades apenas retardará um desfecho satisfatório dessa fase turbulenta. No caso de essa recusa ser categórica, significando a não-aceitação de quaisquer fatos considerados problemáticos em sua vida, estará caracterizada, então, a disfagia, ou seja, a dificuldade de engolir, envolvendo a faringe e o esôfago.

ESOFAGITE

Constante irritação com tudo ao redor.

A raiva que sentimos de alguém denota que existe algo a ser destruído em nós, podendo estar relacionado tanto ao acontecimento em si quanto à expectativa que fazemos com relação às pessoas envolvidas. Muitas vezes, quando as pessoas tomam atitudes que não condizem com nossas expectativas com relação a elas, chegamos a nos sentir enraivecidos. Isso nos mostra que qualquer expectativa sobre alguém acaba certamente em decepção e sofrimento para nós mesmos. Aquela pessoa é única e, sendo assim, jamais será capaz de atender a todas as nossas expectativas sobre ela.

O melhor mesmo é aceitarmos viver a realidade, encarar os fatos e as pessoas como eles verdadeiramente são e não querer que sejam do jeito que gostaria que fossem. Assim você viverá de bem consigo mesmo e consequentemente em harmonia com a vida e as pessoas de seu meio.

Estar em paz consigo significa não se permitir ser envolvido pelo meio e influenciar as pessoas à sua volta com uma atmosfera de serenidade e plenitude. As situações aparentemente desagradáveis serão suavizadas e terão um desfecho mais rápido e satisfatório.

HÉRNIA DE HIATO

Culpar-se pela situação atual.

A palavra hiato significa espaço ou abertura. A hérnia de hiato é o surgimento anormal de saliência no hiato esofagiano, que é a passagem entre o esôfago e o estômago, através do diafragma. Pode provocar sangramento oculto ou hemorragia maciça.

Esse quadro orgânico surge na pessoa que se sente sobrecarregada por alguma situação que precisa "engolir". Fica tensa e com raiva porque resiste ao processo e ao mesmo tempo se pune pelo desenrolar dos fatos que provocaram a situação que está vivenciando.

Normalmente os problemas que a pessoa está atravessando na época que surge a hérnia de hiato foram desencadeados por alguma circunstância que ela não aceita. Sentindo-se responsável, pune-se pelo que está acontecendo. Isso pode ocorrer numa pessoa que sempre teve uma vida muito ativa e independente e é abatida por alguma doença que a deixa impossibilitada de manter o mesmo ritmo, tendo que se afastar do trabalho e depender dos outros; ou algum rompimento de relacionamento que não ficou bem resolvido internamente. Além de dar origem à sua situação presente, desenvolveu mecanismos de autopunição, que é uma das causas dessa disfunção orgânica.

A hérnia de hiato retrata um profundo desejo da pessoa em parar o processo, recusando-se a viver naquela situação inevitável que está atravessando em sua vida. O desejo de parar esse processo afeta a região do diafragma, que é considerado o músculo da vida.

Para reverter esse processo, não se sinta culpado pelo desenrolar dos fatos, lembre-se de que tudo que acontece faz parte de uma trajetória de experiência individual e do grupo.

Se alguma decisão sua desencadeou uma problemática que afeta a todos de seu convívio, de certa forma todos precisam passar por isso. Não se maltrate, pois um dos piores gestos de maldade é aquele praticado contra si mesmo.

DIGESTÃO

Elaboração e aceitação dos acontecimentos.

O alimento fornece os nutrientes essenciais para as atividades corporais. É o combustível muscular.

As substâncias alimentícias somente podem ser assimiladas pelo organismo após sua transformação em constituintes mais simples e solúveis. Essa transformação, denominada digestão, compreende processos mecânicos e químicos, nos quais interferem mecanismos nervosos e hormonais.

A digestão está relacionada na metafísica com a maneira como digerimos as situações da vida. Nossa condição interna, que envolve os conceitos e valores adquiridos, é a principal condição de assimilação da vida. Esses aspectos determinam nossa disposição para aceitar as situações.

Quando se vive de bem com a vida e as situações, por mais que não sejam de nosso agrado, vive-se em harmonia interna e mantém-se uma boa digestão.

A vida nem sempre se faz exatamente de acordo com o que queremos no consciente. Ela é, sim, o reflexo daquilo que criamos e não o que idealizamos para nós. O que você vê à sua volta é condizente com sua realidade interior.

Frequentemente não conscientizamos tudo que nos desagrada e só mantemos no consciente o modelo ideal, fruto do desejo de nos tornarmos daquela maneira. Entretanto, quando temos uma situação caracterizada à nossa frente que nos causa um grande desconforto, convém observar nosso estado interior, pois com certeza existirá alguma relação com aquilo que tanto nos aborrece.

A transformação se dá graças aos aspectos interiores, e não ao meio ou às pessoas. Como sempre testamos nosso meio e as pessoas, não damos atenção ao que aquilo representa para nós, e é justamente aí que consiste a raiz dos problemas que enfrentamos na vida. É claro que podemos a qualquer instante transformar uma situação desagradável, bastando que para isso estejamos dispostos a mexer com nossas estruturas interiores.

Para que possamos dar novos passos rumo ao que tanto almejamos para nós, é necessário que não fujamos de nossa realidade expressa na vida, mas sim a aceitemos para que comecemos a dar novos passos rumo ao sucesso e à prosperidade. Por exemplo, se você quer descansar numa poltrona confortável e hoje só tem um "banquinho" para sentar, é necessário que você se sinta bem naquele banco para que possam fluir novas inspirações a fim de serem colocadas em prática e reverterem em progresso.

Quando você não aceita a situação em que vive, não se aceita. Quando não há aceitação de sua parte, representa não estar de bem consigo. Quem não está bem consigo não tem condições de dar novos passos na vida. Se sua situação financeira não está boa, é que até então você se encontra adoecido na área de autovalorização e do merecimento. Para que você possa reverter esse quadro, é necessário não se envergonhar com o pouco que você conquistou até agora. Quando isso ocorrer, haverá uma melhora financeira e você irá conquistar o que tanto almeja na vida. Quando você mexer em sua estrutura interna, as oportunidades se abrirão e você conquistará novas coisas e obterá o sucesso e a prosperidade.

Má digestão está relacionada à intolerância pelo alimento. Sua relação metafísica é com a recusa da situação que está atravessando. A não aceitação de algum processo da vida reflete-se na recusa do organismo pelos alimentos.

ESTÔMAGO

Processador das emoções básicas frente aos fatos.

Depois de o bolo alimentar atravessar o tubo muscular do esôfago, chega ao estômago. Os movimentos musculares do estômago e a ação do suco gástrico transformam os alimentos em uma massa de consistência semilíquida, passando para o duodeno. A atividade muscular prossegue até o completo esvaziamento do estômago, que leva de três a quatro horas e meia, dependendo do tipo de refeição ingerida.

O estômago é uma espécie de processador de alimentos que prepara o conteúdo alimentar para os estágios seguintes da digestão. A atividade estomacal está condicionada a gerar emoções. As impressões vindas do mundo externo causam-nos determinadas reações que são percebidas em forma de sensações viscerais.

A região abdominal onde se localiza o estômago é considerada um dos principais centros energéticos do corpo. É justamente onde se produzem as emoções básicas: raiva, medo, alegria, atração, aversão e outras. Quando é produzida uma emoção, sentimos no estômago. A partir da produção da energia emocional, ela é distribuída para a região do corpo correspondente, transformando-se em sentimentos.

O próximo passo refere-se à expressão. Quando por qualquer motivo não exteriorizamos os sentimentos e os bloqueamos, esse comportamento gera um acúmulo energético na região do estômago, que consequentemente causa alteração no metabolismo orgânico.

Sendo assim, uma das principais causas da problemática estomacal é a negação das emoções básicas produzidas diante dos acontecimentos.

A negação dos instintos básicos provoca conflitos que bloqueiam o fluxo natural do ser. Viver sem conflitos é aceitar espontaneamente as situações da vida. Não podemos temer mostrar aquilo que somos, devemos parar de criar expectativas que exijam de nós algo que não corresponde à nossa natureza íntima, sem no entanto extravasar impulsivamente as sensações. Este é outro extremo da castração. Afinal o ser humano é dotado de um senso dosador de discernimento e de inteligência para expressar-se de maneira digna e inteligente, sendo verdadeiro consigo mesmo.

A aceitação de si próprio é primordial para o processo digestivo, porque, quando a pessoa não se aceita, ela passa a ter vários conflitos internos que são agravados pelo desenrolar das situações à sua volta. Não se aceitar é negar as sensações e sentimentos. A negação das emoções provoca congestionamento energético que causa as complicações digestivas.

Quando o alimento penetra no estômago, está relacionado aos fatos ocorridos à nossa volta. A mente consciente entra em ação, elaborando os acontecimentos para eliminar determinados pontos que não condizem com as verdades interiores do ser, permitindo assim a absorção ou não dos conteúdos recebidos.

Em muitas situações, ficamos remoendo os acontecimentos ou dramatizamos mentalmente, provocando no organismo a fermentação estomacal.

Os problemas estomacais se originam nas pessoas que fazem um julgamento muito precipitado acerca dos acontecimentos ou possuem dificuldade para elaborar o novo.

SUCO GÁSTRICO

Resposta mental às situações da vida.

Suco gástrico é um líquido claro, transparente e altamente ácido, capaz de alterar a estrutura molecular dos alimentos, adequando-os à absorção orgânica. Sua secreção ocorre nas glândulas secretoras do estômago que estão em atividade contínua, sob a influência de fatores nervosos, químicos e hormonais. Esses fatores podem estimulá-las ou inibi-las. Assim, a composição do suco gástrico varia de acordo com os estímulos recebidos.

A atividade das glândulas secretoras está diretamente relacionada com a disposição da pessoa em receber as ideias e os fatos da vida. A incapacidade de assimilação, bem como o medo das situações novas, influencia na diminuição da secreção dos sucos gástricos, que são indispensáveis para o processo digestivo. Assim sendo, a pessoa tem uma digestão lenta e problemática.

Por outro lado, a negação das sensações provocadas por uma situação qualquer da vida ou sua não-expressão leva a pessoa a ficar remoendo e engolindo sua própria raiva. Esse comportamento faz com que a produção de sucos gástricos seja aumentada. Com a elevação da quantidade desse agente, sem no entanto haver alimentos para serem digeridos, eles passam a agredir a parede do estômago e pode-se dizer que a pessoa está se corroendo. A persistência nesse padrão de comportamento pode provocar algum problema mais grave, tal como uma gastrite ou até mesmo úlcera, como veremos na sequência.

GASTRITE

Atividade mental proporcionalmente maior aos fatos.

Gastrite significa inflamação do estômago. A rigor não existe uma doença com o nome específico de gastrite, já que uma ampla variedade de agentes irritantes pode produzir a inflamação no estômago. Esse termo é comumente usado para explicar queixas triviais, como azia, queimação do estômago e perturbação da digestão, sem provas clínicas ou anatômicas válidas. Na ausência dessas provas, muitos casos de gastrite são na realidade esofagite ou úlcera gástrica.

Dos problemas gástricos, a gastrite é um dos primeiros sintomas a se manifestar. Seu surgimento está associado à postura interna do indivíduo de engolir as emoções básicas e ficar imaginando e argumentando os fatos na esfera mental.

A pessoa não apresenta habilidade para lidar com seus aborrecimentos de forma consciente. Ao contrário disso, adota atitudes extremistas diante de conflitos que lhe provocam raiva. A atitude mais comum do indivíduo frente a alguma situação é engolir seus sentimentos ou exagerar em sua agressividade. Seja qual for a maneira com que age, provoca um aumento na secreção dos sucos gástricos, que afetam as paredes do estômago.

Não demonstrar a agressividade ou exagerar sua dose, além dos desarranjos estomacais, provoca profundo desconforto na pessoa. Ela opta por não ofender nem agredir os outros, entretanto falta com o respeito para consigo mesma. Sua opção é feita no sentido de respeitar os outros e se autoagredir. Elaborar de maneira consciente as emoções provocadas por algumas situações da vida evita os desarranjos estomacais.

ÚLCERA

Não se permite falhar nem compartilhar os problemas.
Agressividade sufocada.

A úlcera é uma perfuração da mucosa do estômago causada por inflamação, desintegração ou necrose (morte patológica das células) que progressivamente lesa a parede estomacal.

A formação de úlceras gástricas está diretamente relacionada ao fato de a pessoa se corroer por dentro. Sua tendência básica é introjetar suas emoções em vez de exteriorizar o que sente. Toda a irritação provocada pelas situações externas não expressas provoca o aumento excessivo na secreção de ácidos, que, não tendo alimento a ser digerido, agridem as paredes do estômago.

É notório o profundo grau de irritação em que a pessoa vive. Ela se sente pressionada pela situação, não se julgando boa o bastante para expressar-se livremente na vida. Tem medo de encarar de frente os fatos e se expor com naturalidade. Exige muito de si, quer ser autossuficiente, não se permitindo errar.

Acredite: se a natureza confere a você certas responsabilidades, por exemplo, os filhos, seguramente ela vai colaborar, colocando à sua frente as maneiras de solucionar as dificuldades. Para todas as necessidades naturais existe sempre uma forma de supri-las, basta estar aberto para desvendar as possibilidades. Quando essas necessidades são criadas pelo ego, elas na verdade não são reais. Sua origem nasce do orgulho e da vaidade.

O orgulho é uma agravante desse comportamento diante da vida. Seu orgulho o desconecta da força da natureza, fazendo com que queira lidar sozinho com a situação. Assim como não acredita na força da natureza, que tudo provê, não sabe receber ajuda dos outros. Seu orgulho não permitiria. Como ainda não possui tal habilidade, fica se autoflagelando e remoendo a situação. Não sabe admitir suas dificuldades. Isso está relacionado a uma falta de respeito consigo próprio, o mesmo desrespeito em não admitir sua natureza íntima.

FÍGADO

Órgão da mudança.

Força agressiva.

O fígado é o maior órgão do corpo. Está localizado na parte superior da cavidade abdominal. Uma de suas funções consiste na produção da bile.

As atividades indiretas do fígado consistem na sintetização dos elementos necessários à coagulação e à desintoxicação sanguínea. Esta última é feita graças à absorção e remoção de bactérias e corpúsculos estranhos ao sangue.

A moderação é a condição de fundamental importância para o bom funcionamento do fígado. Os excessos no plano físico ocorrem com o uso demasiado de gorduras, álcool e drogas. Essa atitude tem sua origem na falta de respeito a seus próprios limites, o que leva aos já conhecidos complexos de superioridade e de inferioridade.

O bom senso é fator primordial para o perfeito funcionamento do fígado. Ele sempre desempenhará bem suas funções na medida em que formos moderados e comedidos diante dos fatos que ocorrerem à nossa volta.

Perceba como anda seu humor. Você se altera com frequência diante das diferentes situações? A alteração do humor interfere diretamente na função metabólica do fígado. Encarar serenamente uma situação difícil, sem dramatizar os fatos, torna as coisas mais leves e fáceis de serem digeridas. Esse comportamento facilita a decomposição dos alimentos em nosso corpo, até mesmo os mais pesados, como a gordura.

As pessoas dramáticas, ao alardearem tudo que lhes acontece, tornam as coisas mais difíceis de serem resolvidas, dificultando a função do fígado em metabolizar elementos mais complexos.

Sua capacidade de desintoxicação do sangue está diretamente relacionada à capacidade do indivíduo em discernir e avaliar o que ocorre à sua volta, ou seja, na distinção entre o que lhe é útil e o que não lhe serve, entre o que lhe proporciona prazer e alegria e aquilo que lhe provoca desconforto.

O fígado é um órgão que gera, distribui e controla o suprimento de energia do corpo, modulando a força vital. Ao sentirmos uma perda em nosso entusiasmo pela vida, sentiremos também uma redução do apetite. Tudo que resultar em vitalidade será por nós evitado. Esse padrão de comportamento pode provocar a anemia ou mesmo distúrbios de coagulação sanguínea, levando a frequentes hemorragias.

Nosso organismo tem grande facilidade de adaptação a novas condições, sejam elas climáticas ou alimentares. Essa capacidade é grandemente prejudicada nas pessoas que não possuem essa mesma facilidade com relação a situações novas. Para elas, as mudanças são acompanhadas de desarranjos gastrointestinais ou mesmo de outras alterações metabólicas, principalmente do fígado. Portanto, rejeitar o novo e não saber extrair o melhor da situação prejudica a função desse órgão de absorver e eliminar corpúsculos estranhos ao sangue.

Possui também uma grande capacidade de regeneração, qualidade intensificada em pessoas mais flexíveis às mudanças e com maior facilidade em se refazerem a partir de situações difíceis.

O fígado é a principal víscera produtora da energia agressiva. A agressividade é a nossa condição de conquista em determinadas circunstâncias. É a nossa capacidade de imposição na vida, necessária para mantermos nossa integridade e permanecermos em harmonia com nossa natureza íntima. Ela corresponde à firmeza de caráter ao manter os pontos de vista e conquistar os espaços que pretendemos no meio em que vivemos.

A agressividade não resulta necessariamente em violência. Esta surge quando a reprimimos em diversas situações, até o ponto em que explodimos, provavelmente contra alguém que está longe de ser o pivô de nossa revolta, mas foi eleito por nós. É a "gota d'água" que transbordou.

Com firmeza e determinação conquistamos nossos espaços, mantendo o poder sobre qualquer situação, sem a menor necessidade do uso da violência. A determinação, somada com energia agressiva, resulta invariavelmente na conquista de quaisquer objetivos, sem nos deixar contagiar com pressões do meio. Ela nos permite explorar novos horizontes ou mesmo manter o que já conquistamos na vida.

A negação da agressividade provoca a raiva. Ela surge quando contemos a força agressiva e negamos nossa capacidade de agir. A raiva é o instinto básico que mobiliza as forças agressivas ou destrutivas, tão logo nossa integridade moral e física seja ameaçada. Essas forças podem ser mantenedoras da vida ou, por outro lado, as iniciadoras do processo de autodestruição.

A manutenção da vida se dá por intermédio da destruição do alimento pelo processo da digestão. Analogamente, essa manutenção também é conseguida com a destruição de todas as situações que possam pôr em risco nossa integridade moral ou física.

É com a energia da raiva que nos impomos diante das contrariedades. É com ela que evitamos a invasão de ideias ou sugestões contrárias ao nosso interesse. E é também por meio dela que, se acharmos necessário, demonstramos toda a nossa vitalidade por intermédio do uso da força física.

Ao brigarmos para defender tudo que queremos, pensamos ou sentimos, fazemos uso dessa energia, mobilizando nossos instintos básicos e nossa vitalidade para a destruição daquilo que sentimos como ameaça. Muitas vezes essas forças primárias são verdadeiras alavancas para conquistas e, consequentemente, para nosso crescimento interno.

Quando não aceitamos a raiva que sentimos, fazemos mau uso dessa força. Assim, a raiva produzida é direcionada a algum alvo. Esse alvo podem ser as pessoas à nossa volta — com quem nos tornamos ríspidos e agressivos, mesmo que não tenham nenhuma relação com aquilo que provocou esse sentimento — ou nós mesmos. No caso da raiva direcionada contra nós, passaremos a nos sentir arrasados e vitimados pela situação criada.

No entanto, ao usarmos essa energia primária contra nós mesmos, estaremos nos valendo de sua utilização destrutiva ao organismo. Inicia-se aí um processo de alteração metabólica, resultando em doenças nos órgãos da digestão ou mesmo em outros órgãos que possuam relações metafísicas com as situações não exteriorizadas que nos causam desconforto.

A sensação básica da raiva independe de nossa vontade consciente. Ela é resultante da agressividade não expressa e nasce em nós com a função de destruir os bloqueios que impedem os impulsos agressivos mantenedores da integridade.

A raiva surge com muita frequência quando esperamos que a vida e as pessoas correspondam àquilo que idealizamos. Evidentemente isso significa frustração.

Como temos por hábito reagir com agressividade às contrariedades, passamos a odiar tudo aquilo que contraria uma ordem preestabelecida. Quando esse sentimento não é expresso, passamos apenas a reclamar da situação. A reclamação é a manifestação autodestrutiva da raiva, gerando uma atmosfera contagiante de negativismo.

A atitude queixosa demonstra o mau uso de uma energia produzida para se impor na situação. Queixar-se é tentar se convencer daquilo que não sente em seu íntimo, para justificar sua má atuação em um acontecimento.

Também reclamamos quando nos sentimos ameaçados. Reagimos imediatamente, produzindo uma força destrutiva, que é contida naquele momento, sendo posteriormente dirigida pela reclamação, com que inconscientemente buscamos destruir tudo aquilo que consideramos ameaçador.

É comum em quem reclama não fazer nada de construtivo. Ao contrário, é uma maneira de lançar uma força destrutiva por meio da verbalização aos outros. Isso mostra um mau direcionamento dessa força, que não é lançada para solucionar a situação, mas sim para complicar. A pessoa que reclama se torna amarga e odiosa. A maneira que encontra para se desvencilhar disso é por meio da reclamação, produzindo uma energia pesada e amargurada.

HEPATITE

Resistência ao novo gerando bloqueio do fluxo natural de atuação na vida.

A hepatite é o processo inflamatório do fígado caracterizado pela morte difusa ou irregular das células hepáticas.

A hepatite tem suas raízes na dificuldade de algumas pessoas em aceitar as mudanças, em permitir que situações novas entrem em seu mundo. A resistência em largar aquilo que já não lhe serve mais acaba por causar, por vezes, um enorme conflito, geralmente acompanhado da raiva. Pode-se dizer que o medo do novo leva-as a bloquear seu fluxo natural nessa nova fase da vida. A negação da força necessária para se impor diante das situações novas provoca a morte irregular das células hepáticas. Trata-se de um comportamento típico dos indivíduos medrosos.

O medo, como uma forma de rejeição à vida, leva-os a sentirem-se "coitados". Sentem-se lesados ao menor sinal de mudança. Sua grande dose de mimo os mantém despreparados para enfrentar as situações novas do cotidiano.

A hepatite expressa a irritação de uma pessoa mimada quando as coisas não ocorrem como ela quer. O mimado nega fazer por si e quer que os outros o acompanhem ou façam por ele. A resistência na cooperação mútua é também um traço predominante na personalidade das pessoas que desenvolvem o processo inflamatório do fígado.

CIRROSE

Autodestruição.

A cirrose se refere a uma fibrose ou cicatrização resultando na formação de nódulos. Na cirrose, o fígado pode apresentar-se aumentado ou reduzido em seu tamanho.

Surge quando a agressividade é direcionada contra a própria pessoa. Quando nos sentimos enfurecidos e não exteriorizamos o que estamos sentindo, provocamos imediatamente a inversão da raiva contra nós mesmos. O uso da agressividade ocorre quando ficamos do lado dos outros, portanto contra nós. Ao nos posicionarmos contra nossos valores e a favor dos outros, colocamo-nos para trás, arrasando-nos diante de quaisquer situações. No momento em que nos sentimos o pior dos piores, damos início a um processo autodestrutivo.

Quando nos punimos, desencadeamos uma degeneração orgânica, quer seja por meio de um vício, por exageros alimentares ou mesmo pela ingestão de qualquer elemento nocivo ao corpo. A expressão do processo destrutivo afeta diretamente o fígado, berço de nossa agressividade. É frequente encontrarmos pessoas inibidas frente a situações em que não conseguem expor sua raiva. São momentos como esses que determinam o quanto cedemos às pressões, contendo assim todo o nosso fluxo de agressividade que resultaria na solução do problema. Isso ocorre por mantermos viva dentro de nós uma figura castradora, representada por alguém que pode até mesmo não fazer parte de nosso convívio atual, mas ocupou importante papel em nossa vida.

Ainda que você sinta que essa sensação, trazida provavelmente da infância, possa estar lhe reprimindo, convido você a tomar parte nessa viagem ao passado.

Lembre-se do quanto você se intimidava diante da autoridade de uma pessoa que representava muito para você. Agora recorde um fato presente em que você conteve sua agressividade. Sentiu? A sensação foi a mesma. O que se verificou é que ainda hoje você nega seus impulsos e se reprime, da mesma forma que agia em épocas remotas.

A pessoa se deixa dominar porque dá mais importância aos outros do que a si, delega a eles o poder de fazê-la feliz. Espelha-se nos outros, negando sua natureza íntima. Torna-se dependente da opinião alheia. Não se aprova nem se permite ser o que é.

O elo que nos une a essa pessoa só existe porque ainda esperamos dela a consideração e a aprovação que jamais teremos. Só seremos respeitados quando tivermos exercitado o respeito próprio e a autoconsideração.

O processo autodestrutivo relacionado à cirrose torna-se claro no alcoolismo. Sentindo-se preso e sufocado, o alcoólatra usa toda a sua agressividade contra si próprio, iniciando um processo de desvalorização. Ele não tem consciência clara do quanto sufocado ainda se encontra. Tenta fugir das inadequações por meio da pseudoliberação que o álcool lhe proporciona.

É de praxe um alcoólatra contar mentiras. Elas são tentativas de efetivar um sonho de adequação ao meio, por sua vez muito diferente da realidade que traz consigo.

O alcoólatra tem uma acentuada dose de orgulho, o que torna difícil para ele aceitar as condições internas. A fuga por meio da bebida mostra o despreparo para enfrentar dificuldades e se impor sobre o meio.

Ele ironiza a situação por não querer fazer parte dela. Luta tentando ser diferente, mas não consegue romper as amarras que o tornam igual às pessoas. No entanto, sua maior luta é contra si mesmo.

Sua capacidade de se impor frente às dificuldades é usada contra si, arrastando-se a um processo de autodestruição moral e física.

As pessoas que convivem com alcoólatras são agredidas direta ou indiretamente por suas atitudes. Esse convívio é bem compreendido se tomarmos como base a atração que existe entre eles. Apesar de terem comportamentos opostos diante da vida, ambas represam sua agressividade.

O alcoólatra, de um lado, quer romper com a sociedade, "avacalhando-se" diante dela no intuito de rebelar-se contra as normas impostas pelo meio. Do outro lado, as pessoas que o cercam fazem questão de serem "certinhas" para provarem que são capazes. Elas não se impõem naturalmente na vida e possuem tendência a usar sua agressividade contra si próprias.

Essa atitude provoca a degeneração lenta e gradual do fígado. As marcas dessa autopunição são expressas como cicatrizes nesse órgão, interferindo na função e em seu volume.

VESÍCULA BILIAR

Sentir-se em condições de enfrentar os grandes obstáculos da vida.

A vesícula biliar é uma estrutura sacular que serve como reservatório para a bile. A presença de certos alimentos no duodeno, particularmente a gordura, causa a liberação de um hormônio que alcança a vesícula biliar por via sanguínea, produzindo a contração da vesícula e a expulsão da bile para o duodeno.

Metafisicamente, a vesícula reflete a disposição com que a pessoa enfrenta as dificuldades da vida, sentindo-se livre para se impor diante dos obstáculos.

A vesícula biliar mantém armazenada a bile, que, no âmbito metafísico, representa a expressão de nossos conteúdos internos para resolver os problemas da vida.

Nas pessoas que não liberam seus impulsos agressivos, acarretarão complicações na vesícula ou no duto que conduz a bile até o duodeno. A complicação mais comum resume-se na formação de cálculos nessa região, representando a calcificação da agressividade.

Os problemas na vesícula surgem nas pessoas rígidas, intolerantes, contrárias a tudo que acontece. Têm dificuldade em digerir o novo e negam os fatos. Sentem-se presas e sufocadas pelas situações que as pressionam constantemente, não conseguem se soltar, liberando sua força para resolver as complicações. Só não conseguem colocar adequadamente sua capacidade resolutiva, comprometendo a vesícula.

Outros dois problemas bastante conhecidos na vesícula são a vesícula preguiçosa e as pedras na vesícula.

A *vesícula preguiçosa* é muito comum em pessoas lentas nas mudanças, que demoram para se adaptar ao novo. Quando requisitadas para algo de que não gostam, reclamam demasiadamente. Acham que ninguém faria nada se não fossem elas para resolver as coisas. Essa resistência em fazer aquilo que lhes cabe gera um desejo inconsciente de conter sua preparação interna, ocasionando-se a redução na função da vesícula.

As *pedras na vesícula* são constantes em pessoas que param diante das dificuldades, não admitindo serem conduzidas pela natureza. Elas exigem que tudo seja do seu jeito. Quando não conseguem, relutam nas situações, impedindo que as circunstâncias sigam o fluxo normal. Essas insistências tanto prolongam as dificuldades quanto provocam a formação das pedras. A capacidade de atuação da pessoa termina por calcificar-se.

A incapacidade de alguém em manter as coisas do seu modo gera um impasse que origina frequentes dificuldades. Por meio delas a vida ensina a pessoa a ser menos rígida e intransigente, liberando seus potenciais e deixando a vida se fazer nela com toda a perfeição e abundância inerentes à natureza. Além disso, a liberação da energia presa também sugere a decomposição dos cálculos biliares.

Conter-se diante dos obstáculos e dificuldades da vida é perder a habilidade em usar os próprios potenciais e capacidades de resolução, distanciando-se da ação direta na situação.

Quem precisou extrair a vesícula, acometida por algum tipo de problema, desenvolveu a estrutura interna causadora da disfunção que levou a retirar esse órgão.

A ausência da vesícula no corpo provoca uma sensação de perda do referencial físico, de armazenagem metafísica da agressividade, deixando a pessoa mais propensa a se impor na situação, falando logo sobre o que pensa a respeito das coisas que acontecem à sua volta. Já não consegue mais guardar nada daquilo que outrora não conseguia expor, nem medir suas palavras para falar sobre aquilo que a incomoda na situação. A maneira que encontra para isso normalmente é por intermédio das brincadeiras e "gozações".

Como podemos perceber na grande maioria das pessoas que extraíram a vesícula, elas passaram a ser bem diferentes de antes. Às vezes, até exageram um pouco em suas colocações, como se quisessem tirar o atraso do tempo em que se calaram, não conseguindo impor suas vontades.

Aqueles que conseguem liberar sua força agressiva, mesmo depois de perderem a vesícula, atingem um estado de saúde interior graças ao equilíbrio das ações. Mesmo percorrendo um caminho de dor e deterioração de um órgão de seu corpo, isso é imprescindível para o restabelecimento físico, psíquico e emocional.

PÂNCREAS

Abrir-se para a vida e as pessoas, extraindo o melhor da situação.

Alegria e descontração em viver.

Depois do fígado, o pâncreas é a glândula mais volumosa do sistema digestivo. Sua função mista produz tanto enzimas digestivas quanto o hormônio da insulina, que é lançado para a corrente sanguínea.

Como todas as glândulas, o pâncreas depende das condições emocionais e psicológicas da pessoa, fatores responsáveis por seu bom ou mau funcionamento. A disposição do indivíduo em aceitar com doçura as coisas que ocorrem em seu meio é a condição básica para um perfeito funcionamento do pâncreas. O ser que se desencantou com tudo à sua volta vive hoje numa recusa em acatar atitudes e fatos, permanecendo indiferente ao que estejam fazendo. Essa perda de vitalidade se reflete na dificuldade de assimilação de proteínas pelo organismo.

As proteínas estão presentes em grande quantidade nos alimentos orgânicos, carnes e vegetais. A absorção das proteínas representa uma abertura para acatar aquilo que advém das pessoas, bem como aproveitar o que de melhor elas nos trazem.

Aquela pessoa que não digere nem assimila satisfatoriamente as proteínas demonstra-se desconfiada das intenções dos outros. A carência de proteína resulta em perda de vitalidade física, expressando a falta de motivação para agir diante das contrariedades. Essa pessoa passa a ver a vida com acentuada desconfiança, pessimismo e amargura, chegando a perder a própria alegria de viver, como veremos mais adiante, na diabetes.

Esse estado em que se encontra termina por reduzir a secreção pancreática. Essa insuficiência também é decorrente das críticas guardadas para si e nunca externadas.

Como vimos até aqui, absorver alegremente os acontecimentos de nosso meio constitui-se em fator fundamental para um perfeito funcionamento do pâncreas. Para que isso ocorra, o humor passa a ser ferramenta de base para se tirar proveito de situações contrárias. Encarar os desafios com alegria favorece um maior fluxo de vida, suavizando complicações do dia a dia. Aquele que não se permite contagiar pelo negativismo ou derrotismo dos que o cercam retira sempre o melhor que a vida pode lhe proporcionar. O otimismo, enfim, regula a função metabólica do pâncreas, resultando em saúde e vitalidade física.

Ao contrário, o pessimismo é o "pivô" da redução nas funções pancreáticas. O pessimista, com sua visão de derrotas, age como se a vida conspirasse contra ele. Comporta-se como se as pessoas à sua volta quisessem apenas tirar proveito da situação para fins próprios. Tem certeza de que nada do que possa acontecer poderá lhe servir para a sua realização pessoal. É desconfiado, sente-se sempre lesado em qualquer situação e frequentemente acha-se perseguido.

Para uma clara ideia a respeito da distinção entre o otimista e o pessimista, nada melhor que o exemplo do bolo: alguém chega e encontra um pedaço de bolo sobre a mesa. Se for otimista, dirá: "Que bom! Fizeram um bolo hoje e se lembraram de mim!"; se for pessimista, não deixará por menos, dirá logo: "Deixaram só isso? Só porque eu saí e cheguei mais tarde, fizeram bolo e já comeram quase tudo".

Quase todos os distúrbios do pâncreas são difíceis de ser diagnosticados. A razão disso se deve à sua posição bastante oculta, aos quadros tão variáveis e a uma evolução silenciosa. Assim, as pessoas que persistem em atitudes comprometedoras que correspondem aos padrões metafísicos das disfunções pancreáticas enganam-se achando que têm suas razões para serem ou agirem daquela maneira. Essa percepção errônea vem do fato de que aquilo que sentem acaba acontecendo. No entanto, visto que criamos tudo aquilo em que acreditamos, elas se sentem meras vítimas de suas próprias crenças.

A mente, associando acontecimentos atuais com situações dolorosas do passado, provoca grande desconforto no presente. Essa associação pode ser consciente ou inconsciente.

A partir do momento em que se passa a entender o real significado do humor e do otimismo, o indivíduo é levado a abandonar os conceitos do passado, que nada têm a ver com as situações do presente, e a vivenciar livremente as novas experiência de sua vida. Apesar de se parecerem ou acabarem efetivamente num desfecho indesejável, essas situações apenas compartilharam de um mesmo cenário recriado por nossa mente, com base única em seus registros secretos.

Isso acontece para que possamos absorver delas o melhor, aprendendo a conviver com aquele tipo de experiência. Enquanto esse aprendizado não for satisfatório, continuaremos a deparar com seguidas situações que venham a nos recordar fatos passados, em sua maioria mal resolvidos. Poderemos, então, ter a chance de atuar de uma maneira diferente da qual antes atuamos, colhendo desta vez resultados melhores, encerrando um ciclo de experiências.

Use sua capacidade de renovação e seja novo a cada instante de sua vida. Fique com o melhor dos acontecimentos já vivenciados, não trazendo para o presente as marcas de um passado que você não soube aproveitar ou sobre o qual você não soube atuar. Bastando tão-somente deixar fluir os potenciais latentes na alma, seremos novos a cada instante, construindo finais felizes em todos os novos ciclos que se abrirem na vida.

DEPRESSÃO NO PÂNCREAS

A depressão é um quadro psicológico que acompanha as principais doenças pancreáticas.

Os desvios da função pancreática têm relação direta com as síndromes depressivas. O depressivo apresenta baixa auto-estima, apatia e desânimo quando a depressão é mais leve, revela-se quieto, infeliz, pessimista, com sentimento de inadequação e autodepreciação. É incapaz de tomar decisões, preocupando-se demais com seus próprios problemas. Na depressão mais profunda, toda experiência é acompanhada por sofrimento mental, melancolia, desânimo, fadiga, insônia, dificuldade de decisão e concentração, chegando ao desespero nas situações mais agudas.

O depressivo se sente rejeitado. É carente de afeto, apesar de alguns se mostrarem frios nas relações. Essa frieza é seu mecanismo de defesa para não se machucar ainda mais pelas relações afetivas.

A superproteção e a expectativa vivenciada durante a infância são agravantes para a manifestação da depressão no adulto. Em momentos que requeiram decisões, essa pessoa pode facilmente entrar em depressão. As crianças não estão isentas de depressão, sobretudo quando se sentem desamparadas e rejeitadas. Nessa condição, fazem conceitos negativos de si mesmas, considerando-se "tolas", "medíocres", "ruins" ou "fracassadas". Podem também sofrer de insônia, sono exagerado, dores de cabeça, mal-estar e perda de apetite. Necessitando de estímulo e encorajamento, podem passar por preguiçosas.

As crianças deprimidas geralmente são encontradas em famílias separadas, onde há ausência dos pais. O problema pode ocorrer também quando há morte de um deles, ou quando um deles retira seu interesse pela criança.

Uma vez que o estado depressivo tem relação direta com problemas no pâncreas, vejamos as características específicas de algumas das principais doenças que afetam esse órgão.

PANCREATITE

Raiva, frustração e amargura.

Pancreatite é a inflamação do pâncreas, apresentando-se na forma aguda e crônica. No caso agudo, ela pode ser hemorrágica, causando intensas dores abdominais e vômitos.

O indivíduo portador de pancreatite não costuma expressar sua agressividade. Temendo enfrentar os obstáculos que possam surgir, recusa-se a externar sua frustração por não ter recebido da vida e dos outros aquilo que foi idealizado em seu mundo interno.

Essa força destrutiva acaba sendo usada contra si, fazendo com que ele se torne amargo, pessimista e mal-humorado. Simultaneamente a esse estado interno, o pâncreas apresenta uma inflamação.

Possuem tendências a serem dramáticas, tudo que acontece à sua volta é motivo para um grande dramalhão.

A raiva, juntamente com a frustração e a amargura, é a raiz da pancreatite. Na mesma proporção em que a pessoa nega o lado dócil da situação, ela interfere nas funções pancreáticas, dificultando o metabolismo dos nutrientes alimentares associados à doçura.

Quem sofre de pancreatite vive um estado de depressão profunda, sentindo-se rejeitado e mal-amado. Acredita que o mundo conspira contra ele, tornando-se impertinente e desconfiado.

A *pancreatite aguda* apresenta sintomas de dor e desconforto abdominais. A irritação da pessoa com as coisas desagradáveis chega a tal ponto que ela termina por perder a capacidade de perceber as coisas boas ou as vantagens de uma situação. Acaba sua habilidade em transformar o que a incomoda nos outros ou nas situações. Torna-se insensível e amarga.

Recusa-se a ver as atitudes agradáveis dos outros e as manifestações de afeto, apenas para não se machucar novamente nas relações interpessoais. Esse comportamento tem relação direta com a presença de pus e a mortificação dos tecidos pancreáticos.

A pancreatite aguda pode ser hemorrágica, geralmente levando à presença de sangue oculto nas fezes. Interpretado pela metafísica, esse quadro revela o quanto a pessoa se perdeu, deixando de fazer uso de um estado de espírito alegre e bem-humorado.

Na *pancreatite crônica*, pode-se observar a preocupação da pessoa em exagerar no humor, satirizando negativamente uma situação. Costuma fazer uso exagerado do álcool para escrachar suas frustrações, busca destruir aquilo que não admite na vida. Essa atitude de descontrole mostra sua dificuldade em transformar a doçura da situação em motivação e energia para se impor e conquistar seu espaço na vida, sendo próspero e bem-sucedido.

Na pancreatite crônica ocorre um aumento do tecido que reveste parte do pâncreas, causando a destruição das ilhotas que produzem a insulina. A destruição dessas ilhotas reduz a secreção de insulina e causa intolerância à glicose. Paralelamente a esse quadro clínico, observa-se que a pessoa abomina tanto a sua alegria quanto a dos outros. Aqueles que se mostram alegres estariam "rindo da situação", e isso é motivo ainda maior para sua raiva.

DIABETES

Pessimismo e depressão.
Falta de docilidade na vida.

Doença caracterizada por excessiva quantidade de urina. Causadora de sede e fome intensas, a diabetes acarreta sensível perda de peso, distúrbios vasculares e alterações de visão por lesão da retina.

Entre outros tipos de diabetes, a mais comum é a diabetes Melitus, resultante de uma interação variável de fatores hereditários e alimentares.

Caracterizada pela deficiência absoluta ou relativa de insulina — hormônio produzido pelas ilhotas do pâncreas —, apresenta-se como uma perturbação metabólica aguda e crônica, evidenciada pelo excesso de açúcar no sangue (hiperglicemia), bem como pela presença deste na urina.

A glicose é obtida através da alimentação. Ao contrário do que se imagina, ela não provém só dos doces, mas principalmente de carboidratos (massas, batatas, etc.)

A falta do hormônio insulina no sangue impede a transformação da glicose ou açúcar que circula no sangue em conteúdos para as células. No interior das células a glicose promove as reações intracelulares que proporcionam energia para o funcionamento adequado do organismo.

A óptica metafísica aponta para determinadas características marcantes da personalidade do diabético. Possuidores de certo grau de amargura e tristeza (nem sempre expressos em sua fisionomia), esses indivíduos revelam baixa autoestima, além de alto grau de dependência. Para omitir seus mais íntimos sentimentos, não relutam em brincar e divertir outras pessoas.

Em decorrência da grande dificuldade em expressar o que sentem, os diabéticos não costumam reagir diante de ofensas e injustiças. Sofredores silenciosos, tendem ao choro fácil, geralmente longe de todos. Ressentem-se pelo que pensam ter deixado de fazer no passado. Cheios de culpas inconscientes, são constantes vítimas da melancolia.

Os melancólicos, apesar de comumente afáveis, tranquilos e simpáticos, deprimem-se com facilidade. Se por um lado denotam meticulosidade e tendência ao perfeccionismo, por outro revelam acentuada inclinação ao isolamento, inadequação, desamparo, pessimismo e submissão. Desvalorizam-se em tudo que fazem e desencorajam-se diante de novas condições de vida. Com o agravamento da melancolia, passam a viver em estado depressivo.

Como visto anteriormente, a depressão está presente nas doenças do pâncreas. A pancreatite mostra uma reação agressiva não externada, levando o indivíduo à amargura. Já na diabetes, com a ausência da força reativa, ocorre a interiorização dos sentimentos, desaguando no quadro acima apresentado.

Sem a habilidade em lidar com a ternura e o afeto, os diabéticos não vivem uma relação harmoniosa com as pessoas. Sublimando seus sentimentos, não deixam transparecer sua bondade interior.

São considerados emocionalmente imaturos. Com base em sua dependência afetiva, buscam incessantemente atenção, afeto e amor. No entanto, não se atrevem a procurar abertamente. Muitas vezes essa busca é mascarada com certo ar de indiferença. Dessa maneira, simplesmente deixam que o afeto se vá.

Grande número das crises diabéticas são geradas por tensão emocional, geralmente causada pelo reavivamento de sua dependência externa, agravada por uma possível rejeição e perda. Nesse caso se tornam hostis e deprimidos. Por serem facilmente machucados afetivamente, passam a rejeitar qualquer manifestação de carinho. Segundo Kolb, "dificuldades sexuais são comuns tanto nos homens quanto nas mulheres portadores de diabetes. As mulheres diabéticas preocupam-se com a criação dos filhos, enquanto os homens diabéticos muitas vezes são impotentes".

A educação da criança desempenha um fator importante na formação de uma personalidade depressiva.

A hereditariedade é apontada pela ciência médica como principal causa da diabetes. As estatísticas demonstram que, quando os pais têm diabetes Melitus, há aproximadamente 90% de probabilidade de essa doença ocorrer em seus descendentes. Contudo, não há ainda uma explicação adequada para a não-manifestação da diabetes em indivíduos com essa herança genética.

Independentemente da predisposição genética, a manifestação da diabetes está relacionada a períodos de graves distúrbios emocionais, como rupturas no lar, frustrações afetivas, profissionais ou estresse.

Portanto, não apenas a herança genética mas também a própria educação da criança leva à tendência de repetição dos padrões de comportamento de um ou de ambos os pais. No caso de possuir essa herança, os filhos passam a ter uma grande probabilidade de desenvolver a diabetes. Entretanto, casos existem em que nem todos os irmãos são acometidos dessa doença, notando-se inclusive uma nítida diferença de comportamento entre os que contraíram a diabetes e os que não a contraíram. Estes últimos não se deixaram influenciar pela atmosfera em que foram criados, apesar de terem recebido as mesmas influências dos pais. Sua estruturação interna não permitiu que mantivessem os mesmos padrões que envolvem a diabetes.

Tomemos como base o seguinte exemplo: pensemos numa família formada por uma mãe e um pai diabéticos. Apesar de carregar em si alguma tristeza, a mulher é arrojada nos negócios, tomando frente em qualquer resolução indispensável. Com relação ao pai, este já se mostra mais reservado, submisso e quieto. Possuem três filhas, das quais duas com diabetes. Enquanto uma das filhas diabéticas se parece com a mãe, sendo atirada nos negócios e festiva — embora sua expressão fisionômica não esconda suas tristezas de ordem afetiva —, a outra, também diabética, possui as características do pai, vivenciando apenas interiormente suas decepções. A terceira, livre da diabetes, possui um comportamento completamente diferente: espontânea e sincera, fala o que sente, seu semblante é sereno, calmo e tranquilo.

Pais depressivos projetam sobre os filhos sua insatisfação e dependência de afeto. Eles fazem isso de duas maneiras. No primeiro caso, passam a exigir demasiadamente da criança e essas exigências podem resultar em um adulto excessivamente rígido consigo. Frequentemente insatisfeito, cobra sempre um sucesso cada vez maior. Esse processo poderá levá-lo da melancolia à depressão.

Outra alternativa para essa projeção pode residir numa severidade demasiadamente agressiva para com o filho. Na maioria das vezes, essa hostilidade é gerada por motivos completamente infantis, como brincadeiras barulhentas, ou mesmo pela simples presença da criança. Essa atitude pode até mesmo ser proveniente da frustração de um dos pais por ter-se submetido ao casamento tão-somente devido à gravidez, considerando-se agora infeliz.

Essa frustração pode também ter suas raízes na dependência afetiva do outro cônjuge, sendo que a atenção e carinho é agora dividida com os filhos.

A criança diabética possui uma dependência afetiva acentuadamente maior do que as outras crianças. Algumas apresentam um estereótipo desafiador e intransigente; outras vestem-se de vítimas, fazendo-se de coitadas perante seus amigos. Ambas sofrem variações de ânimo. Trazem um sentimento de hostilidade, normalmente desencadeado por lembranças de agressões corporais.

Para se compreender a criança diabética, deve-se levar em consideração a expressão de hostilidade proveniente do membro da família cuja imagem seja considerada ameaçadora para a criança. Além de um dos pais, essa figura hostil pode ser um outro irmão, com o qual o processo competitivo fica evidenciado por meio de frequentes brigas e discussões. Vale lembrar aos pais que constantes surras, e até mesmo trancafiar a criança em algum cômodo da casa, podem desenvolver profundos traumas afetivos.

A reação da criança diabética à dependência afetiva ou à figura ameaçadora é expressa, conforme dissemos, com uma atitude de intransigência.

A diabetes pode surgir numa criança no momento em que ela perde alguém muito especial, responsável por lhe dar amor e carinho.

A privação do afeto é fator primordial no desenvolvimento de uma personalidade diabética. Tanto na criança quanto no adulto, essa dependência de afeto pode ser compensada por meio de um apetite acentuado por doces, que simbolizam, por si só, a própria doçura e afeto de que sentem falta. Deve ser lembrado que os doces constituem-se em sérias agravantes para a diabetes.

Voltando à diabetes infantil, convém salientar que o excesso de rigor e censuras ao filho pode produzir um mau controle da doença na criança.

No controle da diabetes, privar uma criança de certos alimentos saborosos, especialmente os doces, provoca com extrema facilidade uma verdadeira batalha entre a criança e os pais. Um doce pode representar para a criança um sinal de aprovação na família. Privá-la desse prazer pode levar a complicações emocionais que afetam o estado da diabetes. Uma dieta rígida, de um lado, reduz a quantidade de açúcar no sangue; de outro, pode reduzir o nível de tolerância do organismo ao açúcar.

A substituição da alimentação normal pela dietética exige dos pais grande dose de psicologia, a fim de ser evitada a conotação de negação do afeto. Para uma dieta que atenda às necessidades orgânicas e emocionais do diabético, passa a ser de fundamental importância a introdução do carinho e do afeto em seu preparo e no servir o alimento à criança.

Afinal, ela pode ter, no alimento, uma arma a ser usada contra os pais sempre que seus desejos lhe forem negados. Isso poderá se refletir numa transgressão à dieta, comendo às escondidas os alimentos que lhe são comumente negados.

Entre as diversas complicações da diabetes, uma das mais graves é a acidose, ou coma diabético, em que ocorre o aumento dos ácidos no sangue, provocado pela formação de corpos cetônicos, espécie de substâncias tóxicas para o organismo. Ela ocorre nos diabéticos pela ausência de metabolismo do açúcar em energia para o corpo. Com isso o organismo lança a lipólise, um método de obtenção da glicose a partir da quebra de células de gordura dos tecidos. Esse processo desencadeia a formação de corpos cetônicos. Caracterizada por intensa falta de ar, pode levar a pessoa ao coma e até à morte.

Esses elementos agressores no organismo caracterizam bem a hostilidade que os diabéticos mantêm em si. Quer sejam calados ou queixosos, nota-se a agressividade nas relações afetivas, estabelecendo uma polaridade entre amor e agressividade.

Os diabéticos que repentinamente entram em coma encontram-se em depressão profunda, abatidos pelo desânimo. No auge do desespero, entregam-se à morbidez de seus sentimentos, abandonam todo o controle dietético e deixam de tomar insulina, expressando assim seus impulsos suicidas.

O coma pode ser precipitado no diabético adulto, durante uma fase de ansiedade. Já na criança, pode ser simulado numa discussão com os pais.

Como vimos anteriormente, a instabilidade emocional do diabético influencia o estado glicêmico, podendo haver oscilações entre o excesso (hiperglicemia), que é o caso da diabetes, ou falta de açúcar no sangue, como é o caso da hipoglicemia. A dificuldade da pessoa em lidar com seus aspectos afetivos provoca uma mudança repentina em seu humor. Da mesma forma que pode se animar repentinamente, sem nenhuma razão perde todo o entusiasmo.

Se você estiver disposto a se reformular interiormente e sair dessa condição, o primeiro passo é não se colocar numa condição de vítima, é reconhecer que de alguma forma você atraiu os acontecimentos desagradáveis. Obviamente isso não ocorreu de maneira consciente, você não agiu com a intenção de ter os infelizes resultados. No entanto, sua condição interna foi propícia a tais eventualidades. Exemplo: ao ser magoado, você atribui ao outro a causa dessa mágoa, mas quem alimentou esperanças e expectativas que o decepcionaram foi você. Se os outros o fizeram sofrer, é que você abriu mão de seu poder de escolha, permitindo que eles determinassem as "regras do jogo".

Em segundo lugar, resgate a docilidade e o sabor pela vida, volte a confiar em si mesmo. Acredite: o pior já passou, abra-se para as perspectivas favoráveis do presente e viva intensamente o aqui-agora.

Encare os fatos vividos como intensos desafios que o fortaleceram interiormente, sinta-se vitorioso por ter transposto experiências tão dramáticas.

Lembre-se: nem sempre o vitorioso é aquele que atingiu seus objetivos; muitas vezes a vitória está no fato de superar intensos desafios, sem perder a dignidade.

HIPOGLICEMIA

Ansiedade.

Resgate do tempo perdido.

Hipoglicemia é o estado consequente de um baixo nível de glicose no sangue, resultante do excessivo consumo da glicose pelo organismo.

Tem como causa clínica uma ampla variedade de circunstâncias orgânicas, entre elas os tumores pancreáticos, choque insulínico (administração de insulina em excesso), pouca comida (jejum), doses excessivas de álcool, comum nos alcoólatras depois de um a três dias com anorexia, náusea e vômito.

As lesões provocadas pela hipoglicemia são limitadas ao sistema nervoso, que depende da glicose do sangue para atender suas necessidades energéticas. Os sintomas que surgem quando baixa o nível de glicose no sangue são nervosismo, fraqueza, fome, palidez alternada com rubor facial e vertigem.

Estados hipoglicêmicos espontâneos, diferentes das circunstâncias orgânicas apresentadas acima, podem ocorrer ocasionalmente por sintomas psíquicos, geralmente de natureza transitória, tais como irritabilidade, inquietude, ansiedade, confusão e negativismo. Esses fenômenos mentais ocasionam a apatia e o desânimo, seguidos de instabilidade emocional, raciocínio lento e prejudicado.

A ansiedade é apontada como uma das origens do comportamento da pessoa afetada pela hipoglicemia. O estado ansioso pode ser resultante dos acontecimentos intensos da vida, em que despontam muitas atividades e perspectiva de vida. A necessidade de grande atuação da pessoa nos negócios que se abrem pode fazê-la sentir-se despreparada em "dar conta do recado". Isso a leva a não aproveitar direito as coisas ou então ela receia não conseguir "emplacar" na nova vida.

A hipoglicemia tem sua raiz mais profunda na mágoa e no ressentimento de suas relações afetivas, originados pelas relações familiares, armazenadas dentro de si. O maior receio sempre foi perder o amor dos parentes.

INTESTINO DELGADO

Absorção e aproveitamento das experiências de vida.
Capacidade de entendimento.

O intestino delgado é um tubo de calibre variável em toda a sua extensão. Inicia-se no duodeno e termina na primeira porção do intestino grosso. Possui um comprimento de aproximadamente seis metros e é dividido em três porções: o duodeno, o jejuno e o íleo.

O duodeno é a porção mais curta, mais larga e mais fixa do intestino delgado. Encontra-se fixado na parede posterior do abdome. Ele recebe secreção do fígado e do pâncreas. O jejuno, por não ter limite nítido em sua continuação com o íleo, pode ser descrito em conjunto com este. O jejuno-íleo constitui a porção móvel do intestino delgado que se estende até o início do intestino grosso.

A função principal do intestino delgado consiste na absorção de alimentos sólidos e líquidos. Suas dobras e circunvoluções permitem a acomodação no abdome, de modo que a digestão se processe sincronizadamente com o movimento do bolo alimentar, em todo o seu trajeto. Ele é o principal órgão de absorção, devido aos processos digestivos que nele ocorrem, com a participação de produtos do pâncreas e do fígado.

A concepção metafísica que envolve o intestino delgado aponta a semelhante função e tarefa com a mente.

No campo da mente são feitos os julgamentos precipitados acerca de algo. Isso nos impede de aproveitarmos o melhor de uma situação.

Criticar excessivamente os fatos e pôr defeito em tudo também nos impede de aproveitar bem a essência dos acontecimentos, resultando na diminuição dos nutrientes orgânicos por parte do intestino.

Tudo que ocorre à nossa volta tem como objetivo mostrar algo que recusamos ver em nós. A natureza reproduz em nosso meio as situações internas mal resolvidas, para que percebamos, por meio do contraste ou da densidade dos acontecimentos no mundo físico, aquilo que não está bem em nosso mundo interior ou negamos admitir em nós. A convivência diária com as dificuldades da vida, que se tornam visíveis a cada instante, favorece-nos em adquirir habilidade para lidar com as dificuldades diárias, porque, ao solucionarmos as complicações à nossa volta, atingimos as causas internas, uma vez que elas surgem como projeção de nossas concepções íntimas. Ao resolvê-las interiormente, as condições externas vão se normalizando.

Quando algo nos provoca mal-estar, é que não estamos agindo de acordo com nossa essência originária. Da mesma forma, quando as coisas não vão bem na vida, é que não estamos bem interiormente.

Se estivéssemos seguindo uma ordem natural nos processos da vida, dando mais fiança ao que sentimos e àquilo que pensamos do que ao que os outros querem, ou que programamos na mente, as coisas seriam mais bem aproveitáveis. Dessa maneira, evitaríamos tantos desconfortos nas relações com o mundo à nossa volta bem como os desarranjos gastrointestinais.

Quando nos abrimos para as experiências da vida, tirando as concepções mentais ou os pré-julgamentos a respeito de tudo, nos alimentamos com o melhor dos acontecimentos da vida, que é considerado o nutriente da alma.

A crítica excessiva é outro fator psíquico que interfere na capacidade de absorção intestinal. Quem vê defeito em tudo não aprende os conteúdos dos acontecimentos nem se alimenta com as situações à sua volta. Os distúrbios intestinais ocorrem quando estamos sendo demasiadamente analíticos.

Uma pessoa sedenta pelo aprendizado, que chega ao ponto de ter medo de não aproveitar o suficiente de uma situação, prejudica a capacidade de assimilação, por se tornar excessivamente mental e analítica. Essa condição nos faz perder a perspicácia que nos possibilitaria desvendar os conteúdos essenciais dos acontecimentos, bem como impede a manifestação da inteligência.

Os recursos mentais não são suficientes para uma profunda avaliação e o melhor aproveitamento das experiências. A inteligência fornece elementos para que a mente possa assimilar melhor o aprendizado. Quem se restringe ao mental limita-se em absorver, comprometendo o desenvolvimento interior.

DIARREIA

Súbito desapego sem elaborar a experiência.

A diarreia é um sintoma comum de perturbação gastrointestinal. Pode ser devida a várias causas: infecções agudas, lesão intestinal, intoxicação, etc.

No âmbito metafísico, a diarreia reflete a recusa em absorver aquilo que se passa ao redor. É um impulso de desprender-se das situações desagradáveis ou das interferências energéticas.

A diarreia revela uma falta de habilidade nas transições. Quando as pessoas são acometidas por esse mal, demonstram que inicialmente elas se sujeitaram a determinadas situações a ponto de ficarem saturadas. Em seguida agem de maneira extrema no sentido de eliminarem completamente aquilo que se tornou uma complicação em sua vida.

Essa atitude de acabar com algo que já saturou não é saudável para o físico, haja vista ser causadora da diarreia. Tampouco é positiva para o emocional, porque, agindo assim, a pessoa não absorve o aprendizado que a experiência poderia lhe proporcionar. Aqueles que apresentam frequentes sintomas de diarreia têm personalidade extremista. Primeiramente se apegam aos outros ou à situação, exagerando na dedicação; em seguida, dão total desprezo.

A diarreia demonstra a necessidade de tornar-se flexível e moderado nas transformações, permitir o curso natural no processo de mudança. Não precipite os acontecimentos nem atropele o andamento das coisas. Você pode cometer injustiças ou se arrepender das atitudes impensadas. Confie. Aquilo que é para ser, cedo ou tarde acontece, e, o que for preciso ser feito, você saberá o momento e a intensidade de seus atos.

INTESTINO GROSSO

Expressão dos mais profundos sentimentos.
Doação e generosidade.

O intestino grosso começa na parte inferior do abdome. Mede cerca de 1,6 metro de comprimento. Possui uma infinidade de células desenvolvidas para reterem e absorverem água, tornando-se um grande reservatório hídrico do corpo.

Nele ocorre a digestão propriamente dita. Ele promove a eliminação dos alimentos ingeridos que não foram aproveitados pelo organismo. Até essa parte do sistema digestivo, todo o processo orgânico predispõe o bolo alimentar para a absorção. A partir do intestino grosso ocorre uma inversão das funções: o conteúdo da alimentação começa a ser preparado para a eliminação.

No âmbito metafísico, esse órgão relaciona-se à manifestação e ao fluxo de nosso ser pela vida.

O intestino grosso revela nosso mais profundo sentimento acerca de uma situação, bem como a expressão de si. Enquanto o intestino delgado se refere aos critérios estabelecidos pelo universo racional, que apontam para o que devemos ou não aproveitar de uma situação, o intestino grosso avalia o que realmente sentimos a respeito dos fatos que envolvem nossa vida.

Pode-se dizer que é no intestino grosso que os elementos do mundo consciente são submetidos a uma avaliação por nosso universo inconsciente. Em outras palavras, é nesse órgão que os aspectos materiais atingem o espiritual. As emoções inerentes aos acontecimentos do cotidiano servem como recursos evolutivos para a alma.

O intestino grosso é uma região do corpo que se refere à nossa profunda apreciação das situações provenientes do ambiente. Ele é uma espécie de fonte inconsciente dos sentimentos que nutrimos pelas coisas da vida. Ele avalia o que realmente sentimos acerca de uma situação, dando-nos uma sincera resposta afetiva acerca de algo. Nele as informações do racional que têm definido os critérios empregados a uma situação não são utilizadas, prevalecendo nossos verdadeiros conteúdos, que determinam aquilo que gostamos e "curtimos" na vida.

Ele representa nossa resposta mais profunda aos processos da vida. Revela aquilo que sentimos acerca de uma situação. É o âmbito da doação sincera e profunda, que representa nossa generosidade perante as situações ao redor.

Convém lembrar que a natureza humana promove a interação harmoniosa entre os sentimentos e a realidade da vida. Aqueles que conseguem unir esses fatores, melhor dizendo, aprendem com a experiência e expressam o que sentem, suprindo as necessidades da alma.

Só nos tornamos verdadeiros e emocionalmente saudáveis quando damos vazão aos conteúdos interiores por meio da espontaneidade e generosidade, revelando no ambiente nossos mais caros valores espirituais: o amor e a sinceridade.

INTESTINO PRESO

Recusa na exteriorização dos sentimentos.

No âmbito metafísico, o intestino preso representa a completa negação da pessoa em se doar para a vida e para aqueles que estão ao seu redor. Recusa-se a externar tudo que sente. São pessoas muito fechadas, mantêm seus sentimentos presos e não se abrem para ninguém.

Convém lembrar que o fato de não se abrir para a vida é negar toda a abundância presente nela. Manter-se restrito é ser limitado e não desfrutar de sensações e sentimentos que exprimem o verdadeira razão de viver.

Viver é sentir e interagir com o meio, numa troca constante que compreende o ato de dar e receber, com toda a plenitude que trazemos em nossos sentimentos mais íntimos.

Quem sofre de intestino preso não vive uma relação harmoniosa com a vida, porque se revela demasiadamente fechado em si. Por isso, acha que não sente nada. Reprimir o sentimento é distanciar-se de si a ponto de não conseguir identificar aquilo que está sentindo.

Os indivíduos tornam-se frios e calculistas, põem a mente em tudo que fazem e na avaliação dos acontecimentos à sua volta. Frequentemente se negam a agir nas situações, e, quando o fazem, agem com a razão, revelando o quão distante estão das emoções e dos sentimentos.

PRISÃO DE VENTRE

Meticulosidade, atrapalhar-se com os detalhes. Contenção da espontaneidade.

Durante o trajeto do bolo fecal pelo interior do intestino grosso, ocorrem as fermentações que são responsáveis pelos processos de putrefação, onde são produzidos os gases, que originam a prisão de ventre.

A frequência reduzida das defecações mantém no intestino a permanência de substâncias que deveriam ser eliminadas. Quanto maior a permanência do bolo fecal no interior do intestino grosso, maior a fermentação e putrefação, resultando no aumento da produção de gases, que é um dos principais fatores que provoca a prisão de ventre.

As concepções metafísicas que envolvem a produção excessiva de gases no interior do intestino, bem como a prisão de ventre, apontam para pessoas muito contidas, que se recusam a doar, agarrando-se excessivamente às coisas. Não se dão por satisfeitas enquanto não exploram o máximo da situação. Temem não aproveitar o bastante, por isso o bolo alimentar é contido no interior do intestino, sem ser eliminado em tempo normal.

Da mesma forma, quando decidem fazer algo, são detalhistas e perfeccionistas. Não gostam de parar enquanto não concretizam o feito, com todo o talento e sumidade que dedicam aos afazeres.

Acentua-se nelas a dificuldade de se relacionarem afetivamente, pela falta de espontaneidade em se expor, bem como se doar para quem gostam, compartilhando seus sentimentos mais íntimos.

Costumam não deixar para trás o que é seu, nem abrem mão daquilo que lhes pertence, suas conquistas ou pontos de vista. São pessoas difíceis de serem convencidas de maneira diferente daquilo que acreditam ou decidiram.

Quando vão falar de si, confundem-se totalmente. Costumam se inferiorizar, revelando sua baixa autoestima. Seu grande temor é que seus sentimentos mais profundos venham à tona ou sejam revelados para todos.

Essas situações levam a pessoa a ficar fermentando interiormente, retendo o bolo fecal e provocando a produção de gases.

A produção de gases pode ser constante ou surgir eventualmente em determinadas fases ou situações da vida.

Como são pessoas reservadas, mantêm situações mal resolvidas interiormente. Prendem-se ao passado, não largam o velho para assumir o novo. Apresentam, por isso, medo de algumas situações e uma certa avareza que impede de abrir mão de suas conquistas e dos sentimentos mais íntimos, bloqueando assim seu prazer em sentir.

APÊNDICE

Zelar pelos mais caros sentimentos.

Na porção inicial do intestino grosso, projeta-se o apêndice, também chamado vermiforme, por sua forma curva que lembra a de um verme. Nódulos linfáticos existentes no apêndice impedem a invasão das bactérias existentes em grande quantidade no intestino grosso.

Metafisicamente o apêndice é como se fosse uma espécie de guardião que identifica e impede invasões que venhamos a sofrer por aquilo que acontece ao redor. Evita que as perturbações do mundo externo provoquem constrangimentos e decepções.

O apêndice é composto pelas camadas contínuas de nódulos linfáticos, que são extremamente abundantes na mucosa e submucosa que revestem a parte interna do apêndice. Esse tecido linfático tem grande poder de crescimento e desenvolvimento durante a tenra idade e na juventude. Entretanto, sofre atrofia progressiva durante a vida, desaparecendo completamente na idade avançada.

Assim podemos compreender que um jovem sente maior necessidade de proteger seus mais profundos sentimentos, não ultrapassando os limites do intestino delgado, que se relaciona às crenças e aos valores que são estabelecidos num consenso entre o que sente e o que apreende acerca daquele segmento da vida.

Depois de adulta, a pessoa já se encontra mais segura em seus sentimentos. Aquilo que antes representava uma ameaça agora não interfere mais, porque ela aprendeu a conviver e a se relacionar com as diferentes situações da vida, sem ser afetada por elas, adaptou-se às divergências entre o que sente e como as coisas são, e formulou suas próprias concepções a respeito delas, que lhe possibilitaram conviver razoavelmente bem com elas. Depois de amadurecido, o indivíduo não tem mais tanta necessidade de ficar alerta quanto às influências em sua maneira de sentir. Essa é a razão da redução e até do desaparecimento dos nódulos linfáticos no interior do apêndice.

APENDICITE

Tolher-se em seu mais profundo sentimento.

Apendicite é a inflamação do apêndice resultante de infecção bacteriana. Os fatores contribuintes incluem obstrução, massa calcificada de matéria fecal, formação exagerada de tecido linfático que aumenta o volume, provocando a inflamação. O apêndice só é afetado pelas bactérias quando apresentar quadros como esses, porque, em sua função normal, armazena bactérias sem ser contagiado por elas. O tecido que reveste suas paredes não sofre nenhum dano pela simples presença de bactérias, somente quando apresentam alguma deformidade. A maior incidência de apendicite ocorre em adolescentes e adultos.

A apendicite é tratada pela medicina com remoção do apêndice, prevenindo assim a ruptura e evitando que a infecção venha a atingir o peritônio (membrana que reveste o interior da cavidade abdominal).

A inflamação do apêndice demonstra uma reação agressiva às defesas que zelam pela maneira que sentimos. Ao sermos atingidos por elementos externos, que afetam a intimidade dos sentimentos, não aceitamos sentir contrariamente àquela maneira, temendo não sermos aceitos no mundo externo ou sermos motivo de chacota dos outros. Causamos obstruções nas defesas estabelecidas pelo apêndice, como se atrofiássemos nossa reação natural, que é contrária ao que nosso consciente determina ser correto. Negamos nossa natureza íntima, dando mais crédito àquilo que o meio determina ser a maneira correta de sentir e nos distanciando de nossos verdadeiros sentimentos.

Assim, a apendicite revela uma agressividade contra as defesas dos conteúdos internos e não contra os fatores externos, que são contrários ao que sentimos. Discordando da maneira que sentimos e objetivando sentimentos favoráveis ao meio que vivemos, tornamo-nos vulneráveis à invasão das bactérias. Essa condição expressa nossa vontade de sermos inundados pelo sentimento social, sufocando o sentimento pessoal.

A maior incidência de casos de apendicite na adolescência está relacionada ao período de adaptação ao mundo externo, onde ocorre a interação entre o interno e o externo. Nessa fase surgem as grandes confusões causadas pela necessidade de se realizar na vida, por meio do ambiente onde se vive. Geralmente, os sentimentos são contrários aos moldes estabelecidos pelo social. Isso gera as dificuldades de adaptação, muito comuns nessa fase da vida. A expressão natural dos sentimentos passa a ser negada. Para evitar conflitos com o meio, a pessoa provoca conflitos internos, reagindo agressivamente contra as defesas que neutralizam os conteúdos externos.

O conflito causado pela negação de si, no que se refere aos conteúdos internos, que é a raiz da apendicite, pode afetar também outros órgãos que correspondem às sensações viscerais que são contidas. A infecção do apêndice pode comprometer o peritônio. Se ele for afetado, a infecção se espalha por todo o interior do abdome, afetando os órgãos localizados nele. O risco de a infecção se espalhar existe também pela vulnerabilidade decorrente da contenção das sensações que surgem diante das situações da vida, sensações estas que não são aceitas nem expressas pela pessoa.

As estruturas metafísicas que envolvem cada órgão ficam comprometidas porque a pessoa não se permite sentir suas sensações. Assim sendo, a maneira como acatamos aquilo que sentimos, relacionada aos órgãos, ou os aspectos que envolvem nossa liberdade de sentir, relacionados ao abdome, podem ser afetados pela inflamação que se iniciou no apêndice. Essa é a causa do risco de a pancreatite afetar o peritônio. Ao sufocar nossos mais profundos sentimentos, também negamos as sensações que brotam das vísceras.

Quem extrai o apêndice passa a encontrar mais dificuldade para proteger aquilo que verdadeiramente sente. Como não admite expressar-se como sente, perde sua comunicação interior com seus sentimentos mais íntimos, distanciando-se de sua maneira de sentir a vida. Torna-se mais racional do que sentimental, propenso à crítica, ao ceticismo e à análise.

DIVERTICULITE

Tristeza e amargura.
Culpar-se pelo que não realizou no passado.

Os divertículos têm o aspecto de pequenos sacos em forma de frasco com 0,5 a 1,0 centímetro de diâmetro. Formam-se nas paredes do intestino grosso, sendo mais comuns em pessoas com idade acima de cinquenta anos.

São considerados hérnias da mucosa que reveste as paredes internas do intestino grosso, apresentando pequenos defeitos nas camadas finas de fibras musculares.

As complicações ocorrem quando essas lesões se enchem de fezes. As bactérias presentes nas fezes infectam os divertículos, que se inflamam, causando a diverticulite. Se um divertículo infectado por bactérias se romper, a infecção pode afetar o peritônio, provocando a peritonite generalizada.

Os focos inflamatórios da diverticulite provocam o espessamento das paredes do intestino grosso, causando obstrução, perfuração e não raro hemorragias.

O surgimento de divertículos no intestino grosso está relacionado à maneira como a pessoa vive em relação a seus sentimentos mais íntimos. Para compreender melhor isso, convém salientar que ao longo da vida a pessoa se molda aos costumes de seu ambiente, adquirindo conceitos e valores que na maioria das vezes não correspondem àquilo que verdadeiramente sente. Em virtude dos bloqueios estabelecidos por suas concepções de vida, a pessoa não se permitiu desfrutar das fases felizes de sua vida. Quis sempre se fazer de forte e para isso colocava uma pedra sobre seus sentimentos, demonstrando frieza no sentir.

A própria pessoa interfere em seus mais profundos sentimentos, entregando-se aos valores estabelecidos pela sociedade, não avaliando os conceitos do mundo externo com o sentimento, mas entregando-se por completo a eles.

Trata-se de alguém triste e amargurado, por não conviver com a sua intimidade de sentir. Vive o desconforto das situações à sua volta, sente-se contrariado pelos acontecimentos e não gosta das coisas da maneira como são, porque não correspondem àquilo que seu mundo racional estabeleceu como ideal. Os bloqueios estabelecidos nos sentimentos mais íntimos se expressam com o surgimento de divertículos.

A diverticulite apresenta um quadro metafísico de alguém que se sente culpado por não ter se permitido sentir e aproveitar a vida. A culpa mobiliza a força agressiva contra si, provoca o aumento dos divertículos, proporcionando atmosfera propícia à infecção. A pessoa condena-se por não ter expressado tudo que sentia por alguém ou pela situação. Em função de sua aparente indiferença e frieza, provocou rompimentos ou mudou algo que preferia ter mantido. Agora sem seus objetivos, arrepende-se amargamente de não ter expressado tudo que sentia na ocasião.

COLITE

Relacionamento simbiótico.

A colite é uma inflamação do cólon, que é a parte do intestino grosso que começa no ceco e termina no reto. A colite é caracterizada por uma série de ataques de diarreia sanguinolenta, seguida de febre alta.

Revela traços de personalidade dependente, acometendo indivíduos que se submetem a um apego exagerado entre si, gerando uma verdadeira unidade simbiótica. Esse apego impossibilita a manutenção da integridade do sentir, sufocando os sentimentos mais íntimos. Ao tomar para si o papel de "boazinha" e nao desagradar os outros, a pessoa não mais consegue viver a própria vida. Temendo a solidão, já não consegue imaginar-se sem a aprovação das pessoas a seu lado. Não há mais segurança suficiente para viver a vida por si.

Quando a relação se torna difícil e começam a surgir obstáculos e uma reação agressiva contra tudo aquilo que interfere na situação, numa atitude contrária à ordem natural dos acontecimentos, que levaria à separação, necessária, portanto, para a continuidade do crescimento individual de cada um. Quando se estabelece uma relação a esse nível, o crescimento pessoal fica comprometido pela dependência e pelas projeções que envolvem a relação. Esperando que o outro realize uma atividade na qual já possua reconhecido talento, a pessoa se acomoda, perdendo a oportunidade de aprender.

Para compreender melhor as estruturas que envolvem esse tipo de relação, ao invés de se favorecerem mutuamente em seu desenvolvimento as pessoas passam a gerar dependências. Esse tipo de relação é mais comum entre familiares, podendo, no entanto, ocorrer entre amigos.

A vida nos conduz às relações interpessoais. O próprio organismo depende da interação com o meio ambiente, movido pela necessidade de absorção de alimentos, posteriormente excretados. A interação também ocorre graças ao ar que inspiramos e exalamos constantemente. No que se refere à experiência pessoal, interagir com familiares e amigos é indispensável ao crescimento pessoal, o que não significa gerar dependências nem estabelecer relações simbióticas.

Ao estabelecermos uma relação afetiva baseada em padrões simbióticos, só nos sentiremos satisfeitos quando estivermos juntos à outra pessoa. Qualquer objetivo será considerado atingido, desde que se estenda ao outro.

Determinados processos na vida são estritamente individuais, não se estendendo, portanto, àqueles que conosco convivem. Por mais que tentemos inserir o outro em situações extremamente benéficas para nós, teremos que admitir, por vezes, que aquilo não faz parte de seu processo individual, não podendo, portanto, ser compartilhado por outra pessoa. Ao recusarmos esses privilégios, passamos a limitar nosso próprio crescimento. É comum sentirmo-nos culpados por tomar uma decisão que venha a favorecer somente a nós, principalmente quando outra pessoa enfrenta dificuldades justamente na área em que estamos progredindo.

No entanto, não devemos nos esquecer de que as dificuldades são um recurso de aprendizagem. Nem sempre nos será possível fazer algo para ajudar alguém. O melhor a fazer será deixar que a ordem natural do universo se encarregue de conduzir cada um a vivenciar suas próprias experiências.

Diante disso, o melhor a fazer é optarmos por nós, deixando de abrir mão constantemente de nossas vontades pessoais em função do outro. O único sacrifício que valerá a pena ser vivido, por assumir posições contrárias aos interesses de outras pessoas, será a experiência de uma certa solidão, decorrente do abandono das relações simbióticas em favor de relações agora sadias. Estaremos, acima de tudo, do nosso lado e a favor da vida, sem a necessidade de sacrifício de nossa personalidade. Sem dúvida, trata-se do modo mais seguro de se evitarem os dolorosos rompimentos definitivos nas relações.

Quem sofre de colite não se permite ser o que é. Por medo da solidão, anula-se diante dos relacionamentos, apenas para não ferir as pessoas com as quais se relaciona. Sua insegurança é a mola mestra que impele a luta contra qualquer obstáculo que possa impedir sua ligação com alguém. Vale lembrar que aquilo que mais teme, ou seja, ficar só, já está acontecendo. Ao viver distante de si, buscando sempre agradar os outros, essa pessoa já experimenta a verdadeira solidão.

VERMES

Profundas ligações de apego e dependência.
Ideias parasitárias.

São parasitas que se alojam na flora intestinal. Os sintomas da verminose envolvem coceiras anais, dores abdominais, náuseas, vômitos, diarreia, além de sono agitado. A presença de parasitas no intestino demonstra que a pessoa mantém experiências ainda armazenadas dentro de si que a impedem de sentir profundamente uma situação. São ideias parasitárias que interferem em sua verdadeira forma de ser.

Ao entrarem na corrente sanguínea, esses parasitas causam sérias complicações físicas. Da mesma forma, quando padrões ou pessoas que mantemos vivos em nós passam a interferir em nosso fluxo pela vida, diminuindo nossa motivação pelas situações ou pessoas que venham a fazer parte de nosso cotidiano, nossa experiência pessoal fica comprometida.

Existem vários tipos de vermes, sendo que cada um deles se instala em alguma parte específica da flora intestinal. O grupo dos vermes que se aloja no intestino delgado, impedindo a absorção de nutrientes, é o reflexo das velhas crenças que impedem a vivência de uma situação atual. De outro lado, os que habitam o intestino grosso alimentam-se de conteúdos que não foram aproveitados pelo organismo e metafisicamente dificultam uma expressão verdadeira do que sentimos por alguém ou por uma determinada situação.

A verminose ocorre com mais frequência em crianças. Isso é compreensível, pois nessa fase da vida são estabelecidas profundas ligações com o meio, principalmente com os pais. Em decorrência disso, a criança é fortemente influenciada em sua maneira de sentir.

A armazenagem de determinados valores, bem como nossa ligação com as pessoas, deverá sempre estar dentro de uma certa moderação, sem o comprometimento de nossa maneira de ser e de sentir a vida, a fim de não dificultar a expressão de nossos sentimentos mais íntimos.

HEMORROIDA

Preso às mágoas do passado.

Hemorroida é uma dilatação das veias anais. As hemorroidas são internas ou externas e podem ser causa de sangramento, dor e dificuldade na evacuação.

As hemorroidas afetam o duto anal, que vem a ser a extremidade inferior do intestino grosso. Metafisicamente estabelecem intrínseca relação com todo o ato de doação de alguém a alguma situação, ou mesmo a outra pessoa que se tenha dado de forma bastante intensa no passado.

Como exemplo, podemos citar um relacionamento que se rompe em função de uma traição completamente inesperada, antes que se tenha desfrutado tudo de bom que tenha sido idealizado em termos de prazer e de realização pessoal. Mantida viva na mente, a lembrança dessa traição poderá alimentar a possibilidade de retomada do relacionamento, a fim de dar continuidade ao romance interrompido ou mesmo alimentar a vingança contra o suposto traidor. Na verdade, a dor jamais foi esquecida.

Experiências como essas, que levam a eternos arrependimentos por erros cometidos ao se dedicar inteiramente a uma causa, um projeto ou a uma relação, que levaram a um consequente abandono de tudo e de todos que nos cercavam, dão lugar a uma enorme e angustiante frieza ao se lidar com as emoções, pela dor causada no passado.

Armazenamos em nós todo o desconforto causado por uma difícil situação vivida.

A hemorroida raramente tem origem na atuação profissional. No entanto, ao termos um projeto abortado, seja por traição, afastamento de cargo ou por demissão, acabamos por perder a confiança naqueles que fazem parte de nosso ambiente de trabalho, tornando-nos desconfiados e, portanto, impedidos de nos empenhar no trabalho com a mesma dedicação.

O medo de prazos estabelecidos é uma característica marcante nas pessoas que sofrem de hemorroidas. Quando se veem diante de alguma situação que requeira um certo prazo para sua concretização, ficam atemorizadas. Temem não haver tempo suficiente para a conclusão do que desejam, trazendo para o presente uma situação do passado em que não foi possível a concretização de algo que tanto esperavam ver concluído. O mesmo pode ocorrer com as relações afetivas. Quando o relacionamento demora a se efetivar, exigindo tempo para sua concretização, surge o medo de que ocorra algo que possa impedir esse relacionamento. Esse medo advém das lembranças de insucessos passados, de falhas e fraquezas que levam a pessoa a adotar uma postura perfeccionista e intransigente.

Atitudes por demais criteriosas levam o indivíduo a uma sobrecarga de atividades, privando-o de tempo para que possa se dedicar a outros afazeres que lhe proporcionem maior satisfação, impedindo-o de vivenciar uma doação plena de seus sentimentos mais profundos. A dor e a dificuldade na evacuação decorrentes da hemorroida sempre expressarão, portanto, lembranças de situações mal resolvidas no passado.

CONSIDERAÇÕES FINAIS

O sistema digestivo absorve os alimentos que servem de nutrientes para o corpo. Analogamente, extraímos da vida experiências que nutrem nosso desenvolvimento espiritual. Pode-se dizer que a realidade é uma oficina de edificação da alma. As lições da vida contribuem para o progresso interior.

A maneira como você encara os fatos e a forma como pensa acerca do que se passa à sua volta determina as condições digestivas. Aqueles que lidam com as situações sem fazer dramas, encarando os episódios com firmeza e maturidade, mantêm saudável esse sistema. Aqueles que dramatizam e se recusam a admitir aquilo que a vida insiste em mostrar sofrem de perturbações gastrointestinais.

Para resgatar e manter a saúde digestiva é necessário reconhecer o que é nutritivo na situação e se desprender das complicações. Assim, se uma pessoa pela qual você nutre grande estima vier a desapontá-lo, não permaneça apegado às palavras que foram pronunciadas, conscientize-se de que ela não é aquilo que você imaginava que fosse.

Envolver-se com as situações cotidianas promove o desenvolvimento das habilidades e aprimora os potenciais. Viva intensamente cada instante dessa rica oportunidade de existir.

Cultive o respeito próprio e a dignidade. Desse modo você respeitará a natureza e as pessoas que estão à sua volta.

REFERÊNCIAS BIBLIOGRÁFICAS

LOSSOW, Francone. *Anatomia e Fisiologia Humana.* 4ª ed. Rio de Janeiro, Interamericana, 1980.

GARDNER, Ernest. *Anatomia.* 2ª ed. Rio de Janeiro, Guanabara Koogan, 1967.

GOTH, Andres. *Farmacologia Médica.* 6ª ed. Rio de Janeiro, Guanabara Koogan,1975.

ROBBINS, Stanley L. *Patologia.* 2ª ed. Rio de Janeiro, Guanabara Koogan, 1969.

BERKOW, Robert. *Manual Merck de Medicina.* 15ª ed. São Paulo, Roca, 1987.

ANDERSON, W.A.D. *Sinopse de Patologia.* 8ª ed. Rio de Janeiro, Cultura Médica, 1976.

KOLB, Lawrence C. *Psiquiatria Clínica.* 9ª ed. Rio de Janeiro, Interamericana, 1977.

MORGAN, Clifford T. *Psicologia Fisiológica.* São Paulo, EPU, 1973.

FADIMAN, James. *Teorias da Personalidade.* São Paulo, Harbra, 1979.

SMITH, Henry C. *Desenvolvimento da Personalidade.* São Paulo, McGraw, 1977.

KRECH, David. *Elementos de Psicologia.* Vol I. 6ª ed. São Paulo, Pioneira, 1980.

HAY, Louise L. *Você Pode Curar Sua Vida.* 12ª ed. São Paulo, Best Seller.

DETHLEFSEN, Thorwald. *A Doença como Caminho.* 12ª ed. São Paulo, Pensamento,1997.

BAKER, Douglas. *Anatomia Esotérica.* São Paulo, Mercuryo, 1993.

TEMAS ABORDADOS NO VOLUME 2

SISTEMAS CIRCULATÓRIO E SANGUÍNEO

Vasos Sanguíneos (Artérias, Veias e Colesterol) • Aneurisma • Arteriosclerose • Varizes • Trombose • Flebite • Coração • Problemas Cardíacos • Taquicardia • Angina • Infarto • Pressão arterial • Pressão alta • Pressão baixa • Sangue • Tipos Sanguíneos "A", "B", "O" e "AB" • Anemia • Coagulação Sanguínea • Hemorragia • Leucemia

SISTEMA URINÁRIO

Rins • Problemas Renais • Cálculos Renais • Cólica Renal • Bexiga • Enurese Noturna • Incontinência Urinária • Problemas na Bexiga • Cistite • Uretrite

SISTEMA REPRODUTOR

Sistema Reprodutor Feminino • Frigidez • Ovários • Síndrome de Ovário Policístico • Cistos de Ovário • Tubas Uterinas • Laqueadura • Infertilidade ou Esterilidade • Útero • Problemas no Útero (Miomas e Fibromas) • Menstruação • Problemas Menstruais • Amenorreia • Menopausa • Vagina • Vaginismo (Ressecamento Vaginal) • Corrimento Vaginal (Leucorreia) • Mamas (Glândulas Mamárias) • Flacidez das Mamas • Coceira nas Mamas • Amamentação • Mastite • Nódulos Mamários

SISTEMA REPRODUTOR MASCULINO

Testículos • Próstata • Problemas na Próstata • Pênis • Disfunção Erétil (Impotência)

TEMAS ABORDADOS NO VOLUME 3

SISTEMA ENDÓCRINO

Hormônios • Pineal •Hipófise •Hormônios da Hipófise •Tireoide • Nódulos ou Tumores na Tireoide • Bócio • Hipotireoidismo • Obesidade • Gordura Localizada • Hipertireoidismo • Magreza • Paratireóides • Suprarrenais

SISTEMA MUSCULAR

Tônus Muscular • Dores Musculares • Fibromialgia • Cãibra • Torcicolo • Tendinite • Músculos da Face • Rubor Facial • Musculatura Lisa • Peristaltismo

TEMAS ABORDADOS NO VOLUME 4

SISTEMA NERVOSO CENTRAL

Sinapses • Neurotransmissores • Acetilcolina • Miastenia • Dopamina • Noradrenalina e Adrenalina • Serotonina • Histamina • Meninges • Meningite • Cérebro • Parkinson • Alzheimer e/ou Demência • Dor de Cabeça ou Enxaqueca • AVC (Acidente Vascular Cerebral) • Epilepsia ou Convulsão • Tiques ou Cacoetes • Estresse • Burnout • Bulbo • Sono • Insônia • Cerebelo • Transtorno Bipolar do Humor • Transtorno Obsessivo-Compulsivo (TOC) • Coluna Vertebral • Postura Corporal • Região Cervical e Pescoço (Cervicalgia) • Dor no Pescoço (Cervicalgia) • Torácica • Cifose • Escoliose • Lombar • Lordose • Hérnia de Disco ou Bico de papagaio • Sacro • Cóccix

SISTEMA NERVOSO PERIFÉRICO

Nervos • Gânglios • Terminações Nervosas • Trigêmeo • Nevralgia do Trigêmeo • Nervo Ciático •Dor Ciática

TEMAS ABORDADOS NO VOLUME 5

SISTEMA ÓSSEO

Crânio • Fratura de crânio • Mandíbula • Articulação Temporomandibular (ATM) • Bruxismo • Septo nasal • Clávicula • Escápulas • Costelas • Úlmero • Antebraço (ossos: rádio e ulna) • Mãos • Características das mãos • Dedos • Ossos do quadril • Fêmur • Tíbia e fíbula • Pé • Calcanhar • Esporão de calcâneo • Planta ou sola do pé • Arco do pé • Pé chato • Pé em garra • Facite plantar • Peito do pé e o metatarso • Dedos do pé • Frieira • Joanete • Fratura óssea • Osteopenia • Osteoporose·

SISTEMA ARTICULAR

Ombro • Dores no ombro • Bursite • Lesão ou tendinite do manguito rotator • Cotovelo • Bater o cotovelo • Dor no cotovelo • Punho • Dor no punho • Síndrome do túnel do carpo • Articulações do quadril • Joelho • Menisco • Patela • Tornozelo • Problemas no tornozelo • Reumatismo • Gota • Artrite • Artrite reumatoide • Artrose

Acredito que é hora de pararmos para nos perguntar por que um organismo que sempre foi capaz de se adaptar e se defender, preservando a saúde, fica doente de uma hora para outra. Ou, ainda, por que desenvolvemos um tipo de doença em um certo local do corpo e não em outro?

A Metafísica moderna tem investigado e encontrado dramáticas e surpreendentes leis que nos revelam como funcionamos.

Esta coleção traz até você uma nova visão de vida e ensina a compreender os sinais de seu corpo muito antes que a doença chegue.

Luiz Gasparetto

GRANDES SUCESSOS DE
ZIBIA GASPARETTO

Com 20 milhões de títulos vendidos, a autora tem contribuído para o fortalecimento da literatura espiritualista no mercado editorial e para a popularização da espiritualidade. Conheça os sucessos da escritora.

Romances
pelo espírito Lucius

A força da vida
A verdade de cada um
A vida sabe o que faz
Ela confiou na vida
Entre o amor e a guerra
Esmeralda
Espinhos do tempo
Laços eternos
Nada é por acaso
Ninguém é de ninguém
O advogado de Deus
O amanhã a Deus pertence
O amor venceu
O encontro inesperado
O fio do destino
O poder da escolha
O matuto
O morro das ilusões
Onde está Teresa?
Pelas portas do coração
Quando a vida escolhe
Quando chega a hora
Quando é preciso voltar
Se abrindo pra vida
Sem medo de viver
Só o amor consegue
Somos todos inocentes
Tudo tem seu preço
Tudo valeu a pena
Um amor de verdade
Vencendo o passado

Crônicas

A hora é agora!

Bate-papo com o Além

Contos do dia a dia

Conversando Contigo!

Pare de sofrer

Pedaços do cotidiano

O mundo em que eu vivo

Voltas que a vida dá

Você sempre ganha!

Coletânea

Eu comigo!

Recados de Zibia Gasparetto

Reflexões diárias

Desenvolvimento pessoal

Em busca de respostas

Grandes frases

O poder da vida

Vá em frente!

Fatos e estudos

Eles continuam entre nós vol. 1

Eles continuam entre nós vol. 2

Sucessos
Editora Vida & Consciência

Agnaldo Cardoso

Lágrimas do sertão

Amadeu Ribeiro

A herança
A visita da verdade
Depois do fim
Juntos na eternidade
Laços de amor
Mãe além da vida
O amor não tem limites
O amor nunca diz adeus
O preço da conquista
Reencontros
Segredos que a vida oculta vol.1
A beleza e seus mistérios vol.2
Amores escondidos vol. 3
Seguindo em frente vol. 4
Doce ilusão vol. 5
Bastidores de um crime vol. 6

Amarilis de Oliveira

Além da razão (pelo espírito Maria Amélia)
Do outro lado da porta (pelo espírito Elizabeth)
Nem tudo que reluz é ouro (pelo espírito Carlos Augusto dos Anjos)
Nunca é pra sempre (pelo espírito Carlos Alberto Guerreiro)

Ana Cristina Vargas

pelos espíritos Layla e José Antônio

A morte é uma farsa
Almas de aço
As aparências enganam
Código vermelho
Em busca de uma nova vida
Em tempos de liberdade
Encontrando a paz
Escravo da ilusão
Ídolos de barro
Intensa como o mar
Loucuras da alma
O bispo
O quarto crescente
Sinfonia da alma

Carlos Torres

A mão amiga
Passageiros da eternidade
Querido Joseph (pelos espírito Jon)
Uma razão para viver

Cristina Cimminiello

A voz do coração (pelo espírito Lauro)
Além da espera (pelo espírito Lauro)
As joias de Rovena (pelo espírito Amira)
O segredo do anjo de pedra (pelo espírito Amadeu)
A lenda dos ipês (pelo espírito Amira)

Eduardo França

A escolha
A força do perdão
Do fundo do coração
Enfim, a felicidade
Um canto de liberdade
Vestindo a verdade
Vidas entrelaçadas

Floriano Serra

A grande mudança
A outra face
Amar é para sempre
A menina do lago
Almas gêmeas
Marcado pelo passado
Ninguém tira o que é seu
Nunca é tarde
O mistério do reencontro
Quando menos se espera...

Gilvanize Balbino

De volta pra vida (pelo espírito Saul)
Horizonte das cotovias (pelo espírito Ferdinando)
O homem que viveu demais (pelo espírito Pedro)
O símbolo da vida (pelos espíritos Ferdinando e Bernard)
Salmos de redenção (pelo espírito Ferdinando)

Jeaney Calabria

Uma nova chance (pelo espírito Benedito)

Juliano Fagundes

Nos bastidores da alma (pelo espírito Célia)
O símbolo da felicidade (pelo espírito Aires)

Lucimara Gallicia

pelo espírito Moacyr

Ao encontro do destino

Márcio Fiorillo

pelo espírito Madalena

Lições do coração
Nas esquinas da vida

Maurício de Castro

A outra (pelos espíritos Hermes e Saulo)
Caminhos cruzados (pelo espírito Hermes)
O jogo da vida (pelo espírito Saulo)
Sangue do meu sangue (pelo espírito Hermes)

Meire Campezzi Marques
pelo espírito Thomas

A felicidade é uma escolha
Cada um é o que é
Na vida ninguém perde
Os desafios de uma suicida (pelo espírito Ellen)
Uma promessa além da vida

Rose Elizabeth Mello

Como esquecer
Desafiando o destino
Livres para recomeçar
Os amores de uma vida
Verdadeiros Laços

Sâmada Hesse
pelo espírito Margot

Revelando o passado
Katie: a revelação

Sérgio Chimatti
pelo espírito Anele

Os protegidos
Um amor de quatro patas

Thiago Trindade
pelo espírito Joaquim

As portas do tempo
Com os olhos da alma
Confronto final
Maria do Rosário
Samsara: a saga de Mahara

CO

CALU

Calunga
O MELHOR DA VIDA
FAZENDO
gasparetto
Calunga
fique com a luz...
luiz gasparetto
calunga
verdades do espírito
CALUNGA REVELA
AS LEIS DA VIDA
Luiz Gasparetto e Lucio Morigi

LEÇÃO NGA

Nosso amigo Calunga presenteia-nos com uma cativante coleção de livros e mostra, por meio de sua maneira carinhosa, sábia e simples de abordar a vida, verdades profundas, que tocam nosso espírito, possibilitando uma transformação positiva de nossas realidades.

Rua das Oiticicas, 75 – SP
55 11 2613-4777

contato@vidaeconsciencia.com.br
www.vidaeconsciencia.com.br